Vrouwelijke mystici van de twintigste eeuw

Vrouwelijke Mystici
van de
Twintigste Eeuw

ANNE BANCROFT

mirananda

Oorspronkelijke titel
Weavers of wisdom
Women mystics of the twentieth Century
Geautoriseerde vertaling
W.M.J. Meissner-Stibbe
Ontwerp-omslag
Bram Moerland / Dick Aarsen

CIP-GEGEVENS KONINKLIJKE BIBLIOTHEEK, DEN HAAG

Bancroft, Anne

Vrouwelijke mystici van de twintigste eeuw / Anne Bancroft; [geautoriseer-
de vert. uit het Engels door W.M.J. Meissner-Stibbe]. - Den Haag:
Mirananda
Vert. van: Weavers of wisdom: women mystics of the twentieth century. -
[S.l.]: Arkana, 1989. - Met lit. opg.
ISBN 90-6271-812-4
SISO 203.5 UDC 248.2:3-055.2"19" NUGI 611
Trefw.: vrouwelijke mystici; geschiedenis; 20e eeuw.

ISBN 90 6271 812 4 NUGI 611

INHOUD

INLEIDING

Zij sloeg haar ogen op in een nog natuurlijke, maar niet meer illusionaire wereld; omdat zij begreep dat die wereld werd verlicht door het eeuwige licht. Toen zag zij de schoonheid, de pracht, de goddelijkheid van de levende wereld in wording die elk levend ding plaats biedt in zijn netwerk... Zij ontdekte de werkelijkheid omdat haar ogen schoongewassen waren om die waarheid te kunnen zien, niet vanuit een of ander vreemd ver afgelegen en spiritueel gebied, maar geleidelijk vanuit de essentie der dingen.

Practical Mysticism for normal people,
Evelyn Underhill

Dit boek is een verkenning in de wereld waar Evelyn Underhill over spreekt. Er worden door een aantal vrouwen deuren geopend die tot inzicht leiden en die een werkelijkheid aan het licht brengen die verder reikt dan het alledaagse. Die werkelijkheid bracht hun leven in beroering en leidde dat in een bepaalde richting.

Er is mij wel gevraagd waarom ik alleen over vrouwen schrijf. Dat heeft twee redenen. De eerste reden is heel eenvoudig n.l. dat ik twaalf jaar geleden een boek schreef over mystici van de twintigste eeuw en dat waren bijna allemaal mannen. Ik betreurde dat toentertijd, maar het vrouwelijke terrein was ogenschijnlijk nogal leeg. In de zeer korte tijd tussen toen en nu heeft men evenwel door de vrouwenbeweging belangstelling gekregen voor een aantal vrouwelijke filosofen, en daarom is dit boek eigenlijk een voortzetting van het boek dat ik eerder schreef.

De tweede reden is veel persoonlijker. Ik kan alleen maar zeggen dat er iets in mij was dat waarachtig vrouwelijke inzichten en manieren van zijn wilde vinden. Ik wilde in contact komen met een vrouwelijke vorm van spiritueel leven, ik wilde weten of die verschilde van het traditionele denken zoals mannen dat tot uitdrukking brengen - ik wilde weten

5

waar het toe leidde. Ik was er niet van overtuigd dat ik ook zou vinden wat ik zocht, maar dat gebeurde wel degelijk.

Ik kwam tot de ontdekking dat vrouwen zich (hoewel er vele uitzonderingen zullen zijn) van nature op hun gemak voelen; dat zij binnen hun eigen eenheid van lichaam-verstand-geest een ondersteunende kern van harmonie en liefde vinden waar mannen eindeloos naar zoeken. Vrouwen hebben de neiging alles om zich heen te zien als een openbaring die totaliteit en voltooidheid en goddelijke hoedanigheid onthult. Het vergt een bepaalde aandacht de dingen op deze manier te beschouwen en vrouwen kunnen dat goed. Het is niet de soort aandacht waarmee men kennis vergaart, maar eerder een vorm die vanzelf komt als men alle concepten loslaat en openstaat voor wat werkelijk is. Wat zich dan voordoet, is niet zozeer een vorm van begrijpen als wel 'één zijn met', zelfs wel 'opgenomen worden door', een zuiverheid van groei en verlichting die tegelijkertijd de meest diepgaande verbondenheid schijnt in te houden.

Ik ontdekte dat de vrouwen in dit boek een verbondenheid met het bestaan hadden die zowel de eeuwigheid als het nu omvatte. Uiteraard zijn er veel mannen die dat ook hebben, maar ik geloof toch dat het bij vrouwen duidelijker is. Ik kwam uiteindelijk tot de overtuiging dat de conventionele religie, waar mannen een overheersende invloed hebben, deze vrouwen die de bron in zichzelf hebben ontdekt, weinig te bieden heeft. Want 'het aangezicht van god zoeken in de geschapen wereld', zoals Meinrad Craighead dat noemt, speelt in de meeste grote godsdiensten maar een heel kleine rol, zeker in die godsdiensten die het lichaam en alle materie als een noodzakelijk kwaad beschouwen waar de gelovigen bovenuit moeten stijgen.

Als er al een thema is voor dit boek, dan is het verbondenheid. De integratie van geest en vlees, van het eeuwige en het relatieve, van het goddelijke en het zelf. Bovenal, je zo verwant voelen met het leven en de wereld dat de grenzen vervagen.

Er zijn markante voorbeelden van zo'n verbondenheid: Joanna Macy, wier werk over persoonlijke vastberadenheid wereldwijd wordt gelezen; de eenzelvige artieste met vooruit ziende blik Meinrad Craighead; Marion Milner, de psychiater die haar eigen opvattingen dermate diepgaand aan de kaak stelde dat dit haar tot een verlicht inzicht leidde; en Twylah Nitsch, door haar op Indiaanse overlevering berustende overtuiging.

Mensen met een contemplatieve en wellicht meer verstandelijke benadering hebben een andere vorm van inzicht. Zij zijn spirituele pelgrims op zoek naar dat wat verder gaat dan tijd en ruimte. Onder hen vindt men Evelyn Underhill, een van de meest invloedrijke mystici van deze eeuw; Kathleen Raine, een dichteres over het innerlijke leven; Simone Weil, een mystieke schrijfster die 'hardop mediteerde' over de grote problemen van onze tijd, om die dan ook resoluut het hoofd te bieden; en Toni Packer die, sterk beïnvloed door Krishnamurti, de aard van ons geloof omtrent het bestaan onderzoekt.

Van de anderen zijn er twee die het hindoeïsme aanhangen: Dadi Janki is een van de bewust geworden vrouwelijke leiders van een wereldomvattende spirituele beweging, terwijl Anandamayi Ma al voor haar dood een verheven heilige was in India, wier wijsheid nog steeds van invloed is op iedereen die haar heeft gekend. Ayya Khema, een boeddhiste, die als non tot de Theravada-orde toetrad en nu de structuur van het boeddhistische kloosterleven radicaal aan het veranderen is, terwijl zij tegelijkertijd haar wijsheid doorgeeft aan anderen. Eileen Caddy, mede-oprichtster van Findhorn, vertelt over de spirituele boodschappen die zij vele jaren lang ontving en die gewag maakten van 'de waarheid die zich achter het uiterlijk van de dingen beweegt'. Irina Tweedie, soefi, geeft de leer van haar meester door omtrent het pad naar verlossing door de overgave van het zelf. Danette Choi, een Koreaanse beoefenaarster van het zen-boeddhisme en ook medium, heeft een volslagen nieuwe aanpak om lichaam en geest te helen. En Elisabeth Kübler-Ross, de heelster van smart en onderzoekster van de dood en het leven na de dood, beschrijft de manieren waarop wij die overgang maken.

Elk hoofdstuk wordt gekleurd door een beknopte levensbeschrijving van de persoon. Maar alle vrouwen vertellen hun eigen verhaal en ik heb, als schrijfster, getracht me er niet al te vaak in te mengen of hun bevindingen volgens mijn denken te interpreteren. Ik hoop dat het een zeer gevarieerde, maar wel

7

samenhangende beschouwing is geworden omtrent de wegen die naar verlossing leiden.

Wellicht moet ik, alvorens te eindigen, in het kort uitleggen hoe ik het woord 'mysticus' (of mystica) gebruik. Tijdens het schrijven van dit boek ontmoette ik veel mensen, bijna allen christenen (met uitzondering van één vrouwelijke zen-roshi [zen-meester] die tegen me zei: 'een mystica van de twintigste eeuw ben ik niet!'), die het woord verafschuwen en heftig ontkennen tot de mystici te behoren. Ik begrijp eigenlijk niet goed waarom zij die term vrezen of welke vorm van trots tot die ontkenning leidt. Ik vermoed dat zij het gevoel hebben van een soort degradatie door de associatie met occulte praktijken.

Dan komt hier mijn eigen omschrijving van mystici van de twintigste eeuw: ik denk dat het mannen, vrouwen of kinderen zijn die de diepten aanvoelen die tot de werkelijkheid leiden, en die deze diepten willen onderzoeken. Zij komen op een punt van zelfverwerkelijking, net als Meinrad Craighead toen zij haar hond diep in de ogen keek, en vanaf zo'n moment heeft hun leven een doel en een betekenis die met elke nieuwe ontdekking sterker wordt. Tijdens dat groeien zijn zij in staat tot *zijn* en tot het *zien van samenhang* en zij kunnen *doorgeven aan anderen*. Maar wat zij ook doen, hun eigen zoeken vermindert er niet door. De mensen die op een dergelijke manier zoeken, noem ik mystici, en ik wil mij van ganser harte aansluiten bij de beste definitie van een mysticus, die ik tot nu toe heb gevonden, namelijk in *The Varieties of Religious Experience* door William James: 'Een bewust levend iemand is voortdurend in contact met een veel groter zelf waardoor de verlossende ervaringen komen'. Elke vrouw in dit boek heeft die vorm van bewustzijn.

DANKBETUIGINGEN

Voor de toestemming fragmenten uit boeken, vraaggesprekken, bandopnames en lezingen over te nemen, wil ik de volgende personen graag hartelijk danken: Richard Lannoy, Joanna Macy, Meinrad Craighead, Twylah Nitsch, Toni Packer, Kathleen Raine, Ayya Khema, Dadi Janki, Irina Tweedie, Eileen Caddy, Danette Choi en Elisabeth Kübler-Ross.

Voor de toestemming gebruik te maken van door het auteursrecht beschermd materiaal, wil ik mijn hartelijke dank betuigen aan de volgenden: voor fragmenten uit *A Life of One's Own* door Marion Milner aan Chatto & Windus; voor fragmenten uit *Eternity's Sunrise* door Marion Milner aan Virago Press; voor fragmenten uit *An Experiment in Leisure* door Marion Milner aan Virago Press en Jeremy P. Tarcher Inc., Los Angeles, auteursrecht Marion Milner, 1937; voor fragmenten uit gedichten uit *Collected Poems 1935-80* door Kathleen Raine aan Unwin Hyman Ltd; voor fragmenten uit *The Land Unknown* door Kathleen Raine aan Hamish Hamilton; voor fragmenten uit *Waiting on God* door Simone Weil aan Routledge; voor fragmenten uit *Gravity and Grace* door Simone Weil aan Routledge en aan Putnam's (G.P.) Sons, New York, auteursrecht Simone Weil, 1952; voor fragmenten uit *The Speaking Tree* door Richard Lannoy aan O U P; voor fragmenten uit *Chasm of Fire* door Irina Tweedie, voor het eerst gepubliceerd in 1979 door Element Books, Shaftesbury, Dorset, aan Element Books; voor fragmenten uit *Spirit of Findhorn* en *Foundations of Findhorn* door Eileen Caddy aan Findhorn Publications; voor fragmenten uit *Quest* door Derek Gill aan Harper & Row, Publishers, Inc., New York.

Alles is in het werk gesteld om houders van auteursrechten op te sporen. Wij zouden het dan ook gaarne vernemen als we iemand niet genoemd mochten hebben.

JOANNA MACY

Joanna Macy is boeddhiste en in de westerse boeddhistische samenleving neemt zij een unieke plaats in. De mogelijkheid van de vernietiging van onze planeet door verwoesting van de ecologie of door een atoomramp of -oorlog neemt zij zeer ernstig; zij ziet de algemeen heersende tendens van achteloosheid met betrekking tot een wereld waar de bomen worden aangetast door zure regen, het water vervuilt en waar atoomrampen ternauwernood worden voorkomen, als waanzin die voortkomt uit hebzucht en onwetendheid – een waanzin die wellicht door een of andere boeddhistische cursus voor gebruik van het gezonde verstand, kan worden voorkomen.

Joanna was altijd al sociaal bewogen. Zij werd in 1929 in Amerika geboren, groeide op in een New York dat zich trachtte te herstellen na de catastrofale krach en waar de armoede nog duidelijk waarneembaar was.

'Ik heb als kind vaak angst gehad en daarom moesten de talrijke positieve ervaringen omtrent de aard van de wereld te maken hebben met verlossing en veiligheid en schoonheid. Ik groeide op in het hartje van New York en eigenlijk was ik bang voor de stad, maar tegelijkertijd onder de indruk. En door het gewelddadig gedrag van mijn vader, werd voor mij het een door het ander tot uitdrukking gebracht. Mijn vader was een tiran en wilde mij afzonderen, opsluiten. En dus had die ervaring van de goedheid van de wereld en van die confrontatie met iets dat buiten mijzelf was en de waarheid weergaf, te maken met verlossing, met het verlaten van de stad en weg van de ingeslotenheid van het huis van mijn vader'*.

Joanna zat op het Franse lyceum in Manhattan en in de zomervakanties ging zij naar haar grootouders op het platteland. Haar grootvader was prediker van de Congregationalisten en zij kan zich levendig het moment herinneren waarop god werkelijkheid voor haar werd. Zij was ongeveer negen jaar oud toen zij eens bij haar grootvader op schoot zat, en deze voor haar citeerde: 'Kom tot mij die werken en onder zorgen gebukt gaan, en ik zal u rust geven'.

'Ik werd getroffen door een gevoel van verwarring, verbazing en gelukzaligheid omdat deze bekende figuur van wie mij was geleerd dat het een verheven godheid was, zoiets kon zeggen. Het leek uit het hart van het universum te komen en ik was er zeer van onder de indruk'.

Op haar zestiende jaar had zij, tijdens een kamp dat van de kerk uitging, een krachtige bekeringservaring. Die bestond uit het gevoel dat zij de diepten van de kruisiging en de betekenis daarvan geheel kon doorgronden.

'Het had te maken met vergeving, wat ook als een draad door het tapijt van mijn leven loopt. Ik heb het gevoel dat vergeving meer is dan de definitie in het woordenboek, dat ze iets verraadt omtrent de aard van de werkelijkheid en dat ze niet afhankelijk is van iemand die zich misdraagt, maar iets creatiefs is dat op zichzelf staat.

Ik was die week ook al in aanraking gekomen met het verval van de mensheid; niet op een onrealistische manier die zegt dat de mensen slecht zijn, maar meer met de constante, voortdurende en ontelbare manieren waarop we het leven in elkaar en in onszelf met een gerust hart vernietigen – door geen aandacht aan elkaar te schenken, en andere belangrijke dingen zoals het vergaren van goederen en een slechte verdeling daarvan. We maken het leven smakeloos – we hebben dat wonder van leven gekregen en maken het vervolgens tot een last die we moeten meedragen'.

Die week kreeg ze het gevoel één te zijn met het lijden van Christus, en ook met het gevoel dat de wederopstanding zijn aanwezigheid in de wereld inhield. Zij voelde zich verlicht door een gevoel van wonderbaarlijke genade. Die ervaring luidde een lange periode in waarin zij in haar leven de aanwezigheid van god ervoer. Zij was heel gelukkig dat er anderen waren die ook geloofden. Bij het zien van een kerk kreeg zij tranen in haar ogen omdat die kerk de aanbidding van god door anderen betekende. Maar haar gevoelens voor het christendom hielden geen stand.

'Ik kwam tot het besluit dat ik een beroep wilde uitoefenen dat met de kerk te maken had; dat was zo veel directer dan al het andere werk. Ik wilde zendelinge worden. Maar toen ik me

11

op de universiteit verdiepte in een theologische studie, bijbelse geschiedenis heette dat, werd dat een pijnlijke ervaring. Karl Barth had toen een grote invloed en er heerste een sfeer van verdeeldheid – je was vóór mij, of tegen mij. En die verdeeldheid bestond niet alleen tussen christenen en niet-christenen, maar ook tussen rede en geloof, en tussen lichaam en geest.

Er begon iets van verzet in mij op te komen. Maar omdat ik de zin van mijn leven had gezet op deze religie, bleef ik mij enige tijd afzetten tegen dat gevoel. Het leek wel alsof ik alles in een te kleine doos moest zien te pakken. Dat leidde tot een verstandelijke claustrofobie en een vorm van uitdroging op het emotionele en spirituele vlak. Er was op dat moment geen alternatief. Er waren toen geen cursussen op het gebied van oosterse religies voorhanden, en de enige mogelijkheid was, gewoon te vertrekken'.

Een en ander kwam tot een crisis toen een professor haar beschuldigde van tegenspraak en ontwrichting, en opperde – in een poging haar te ontnuchteren en terug te doen keren naar de collegebanken – dat zij de vrijheid had atheïste te worden. Dat was nog niet in haar opgekomen en plotseling voelde zij zich vrij en in staat een strak, beperkend keurslijf af te werpen. Maar het was tegelijkertijd pijnlijk omdat zij gewend was aan het gevoel dat haar hele leven een duidelijke zin had en dat zij langs een strikt afgebakend pad liep.

'Een van de beelden die mij steeds weer voor de geest kwamen, was: nu kan ik de bloemen ruiken die langs het pad groeien. Dat kon vroeger nooit omdat men dacht dat het overbodig was aandacht aan die bloemen te schenken. Maar ik heb nou eenmaal een grote begeerte naar geluk en plezier en al spoedig rook ik alle bloemen. Maar toch was het verbijsterend omdat ik niet wist waarheen het pad zou leiden. Dat was zeer onplezierig en het overkwam mij dan ook wel dat de zin mij ontging; en zo'n crisis ontstaat af en toe nog wel eens en laat mij dan niet los'.

In die periode werd Joanna zich plotseling bewust van de sociale onrechtvaardigheid en stelde zij zich radicaal op ten opzichte van de wereldeconomie. De opvattingen van toen huldigt zij ook nu nog. Toen zij de universiteit verliet, kreeg ze een studiebeurs om in de derde wereld het nationalisme te gaan bestuderen en dat vergrootte haar kennis van en inzicht in economische structuren. Toen zij terugkwam, trouwde zij en kreeg in de loop der jaren drie kinderen.

In de zestiger jaren werd haar echtgenoot, Francis, administrateur bij het Vredescorps en het hele gezin ging voor twee jaar naar India. Zij woonden in het noorden van India en werkten met vluchtelingen uit Tibet en hier kwam Joanna voor het eerst in aanraking met de religie die zeer veel invloed op haar zou hebben – het boeddhisme.

Het Tibetaanse boeddhisme is een religie die eindeloos veel hoogtepunten kent, vol praalvertoon, veel kleur en rituelen. Joanna heeft er nooit een geheim van gemaakt dat zij de voorkeur geeft aan de eenvoudige leer van het Theravada-boeddhisme, *vipassana* genoemd. Dat is een meditatie van aandacht. Maar toentertijd was zij meer geboeid door het Tibetaanse volk dan door hun religie. Zij hield van hun moed en vrolijkheid. Pas tegen het einde van die twee jaar kwam zij ertoe zich in hun religie te verdiepen. Zij deed dat onder leiding van Freda Bedi, een zeer bijzondere Engelse. Als Tibetaanse non heette zij zuster Palmo. Ze was getrouwd geweest met een Sikh, had in India, waar zij eens met Gandhi samen werd gearresteerd, een opmerkelijke carrière gemaakt. Premier Nehru had haar gevraagd kampen te installeren voor de grote toevloed van Tibetanen die op de vlucht waren voor de Chinese invasie. Door haar contacten met de Dalai Lama en de Karmapa was zij tot de overtuiging gekomen dat die haar meesters waren. Joanna bracht enige tijd door in het nonnenklooster dat door zuster Palmo was gesticht, en die leerde haar mediteren.

'In het begin van mijn boeddhistische jaren was het niet alleen moeilijk, maar kwam ik zelfs in conflict met het aanvaarden van het feit dat de tegenwoordigheid van god niet bestond. Ik nam mijn religieuze plichten wel waar, en kreeg dan het gevoel dat die op een wereldschokkende manier de moeite waard waren, en dat ook alle boeddhistische leerstellingen en dogma's werkelijkheid werden. Maar ik had nog steeds niet dat gevoel kracht te krijgen, gedragen te worden – die *ervaring*. Die goddelijkheid.

Ik wist dat de aard van de werkelijkheid – dat wil zeggen

van die werkelijkheid, die nabijheid, die glans die het leven kan opluisteren en verlichten, die mijn ervaring van verrukking inhoud kon geven – in ieder opzicht groter moest zijn dan mijn geest. En aangezien mijn geest persoonlijkheid, intelligentie en liefde heeft, moet dat er ook allemaal bij horen en kan het niet alleen maar een grondbeginsel zijn. Het moet in veel ruimere zin ook een persoonlijkheid zijn. Het is wel duidelijk dat ik mezelf niet heb gemaakt. Er is een goddelijkheid waarvan ik ongetwijfeld een heel kleine afspiegeling ben. En als ik dan aan het mediteren was, nam ik soms wat gas terug en bleef heel stil zitten, in aanbidding verzonken.

Die aanbidding hoorde er ook bij. In *aanbidding* staan of zitten – ik geloof dat dit een fundamentele geestesverhouding is waar de geest naar hunkert. Lof en aanbidding is meer dan je goed gedragen en dienstbaar zijn.

En dat miste ik in de Dharma. Maar ik ging wel heel rustig zitten en werkte daaraan, kauwde en herkauwde het. En zo dient het al twintig jaar als mijn koan. Dat gevoel van de *verschijning* – nu komt die weer tot mij door die andere manieren waarop ik het allemaal voor me zie'.

En toen ik de Boeddha Dharma voor de eerste maal in werkelijkheid ontmoette, was dat een zeer indrukwekkende en bijzondere ervaring, zodat ik ook nooit enige twijfel koesterde. Eigenlijk kwam die ervaring in intensiteit overeen met de ervaring van vergevensgezindheid in het christendom. Het had te maken met het feit dat ik mijn niet-ikheid ging zien. Toen dat gebeurde, zat ik een een trein die over de Punjab naar Pathankot reed en ik las een boek over het boeddhisme. Terwijl ik daar in die volle trein zat, in die hitte en die stank, werd het me ineens volstrekt duidelijk dat ik niet bestond op de manier zoals ik dacht. En met dat besef kwam tevens de ervaring die ik alleen maar kan beschrijven als het openbarsten van een zaadkorrel. Het was alsof het binnenste naar buiten kwam en ik bekeek het allemaal met verbazing en vreugde. En daarbij kwam een gevoel van onuitsprekelijke opluchting, van: ''Ik hoef niets met mijn ik te doen, ik hoef het niet te verbeteren, of goed te maken, of op te offeren, of te kastijden – ik hoef helemaal niets te doen omdat het er namelijk niet is. Ik hoef alleen maar in te zien dat het een zo gegroeid gebruik, een verzinsel is".

Een en ander bracht een ongelooflijk gevoel van bevrijding mee en tegelijkertijd kwam er, onmiddellijk, een gevoel dat het een bevrijding was die tot daden noopte. Meteen kwam de gedachte in me op: "dit veroorlooft ons risico's te nemen en te handelen ten behoeve van alle levende wezens". Het leek precies geschikt voor alle behoefte aan sociale rechtvaardigheid die ik om me heen had gezien'.

Toen het gezin terugkeerde in Amerika behaalde Joanna de graad van doctor in het vroege boeddhisme. In 1979 kreeg ze een beurs van de Ford Foundation om gedurende een jaar in Sri Lanka een studie te maken van de Sarvodya Beweging – de boeddhistische beweging die duizenden mensen in dat land aanmoedigt tot economische onafhankelijkheid – en haar werk daar vormde de basis van haar boek *Dharma and Development*. Zij wilde namelijk van nabij de manieren zien waarop de boeddhistische leerstellingen in praktijk werden gebracht om sociale vernieuwingen tot stand te brengen, en zij wilde uitzoeken of deze leer ooit in het westen toegepast kon worden. Dit leidde na enige tijd tot haar huidige werk en dat is de toepassing van boeddhistische begrippen in onze eigen verscheurde westerse beschaving vol leed.

Haar gevoel voor sociale rechtvaardigheid zette zich om in een toenemend besef van de wanhoop die gewone mensen voelen bij het vooruitzicht van de ondergang van onze planeet. Joanna kwam tot de overtuiging dat men zich machtelozer voelde naarmate de dreiging groter werd. Zij ontdekte dat de meest voorkomende reactie op een vernietiging door atoomkracht niet alleen maar frustratie was, maar ook wrevel die toestand te moeten erkennen. 'Het is zo ernstig dat je er niet serieus over na kunt denken', zei iemand tegen haar. Zij kwam tot het inzicht dat men zijn natuurlijke angstreactie onderdrukt vanwege vrees voor ellende:

Deze onderdrukking werkt verlammend; er ontstaat een gevoel van isolement en machteloosheid. Bovendien wordt de weerstand tegen pijnlijke, maar wel noodzakelijke voorlichting erdoor gevoed. Het is daarom niet genoeg dat men de huidige crisis op het informatieve vlak bespreekt, of door nog

15

meer afschrikwekkende feiten en cijfers het volk tot actie tracht te dwingen. Alléén voorlichting kan de weerstand nog vergroten, en het gevoel van apathie en machteloosheid versterken.

Despair and Personal Power in the Nuclear Age

Op dit punt begon Joanna's werk – door die gevoelens van machteloosheid. Zij richtte een aantal werkgroepen op waar men de behoefte aan een positieve richting kon onderzoeken en in zichzelf kon trachten de bron te vinden. Zij noemde dit 'het uit wanhoop geboren onderzoeken van mogelijkheden':

Die uitdrukking heeft betrekking op de psychologische en spirituele manier waarop we met onze kennis en gevoelens omgaan zodat die energie en inzicht losmaakt voor scheppende reacties wat betreft de huidige planetaire crisis. De huidige crisis bergt de groeiende angst voor een atoomoorlog in zich, de voortschrijdende vernietiging van het systeem dat ons leven in stand houdt (de planeet), de ongekende omvang van menselijke ellende en het feit dat deze ontwikkelingen het overleven van de soort voor het eerst in de geschiedenis tot een twijfelachtige zaak maken.

Wanhoop en werken aan mogelijkheden helpt ons deze ontwikkelingen bewuster te beleven zonder dat verpletterende gevoel dat zij door vrees, droefheid, woede en gevoel van machteloosheid in ons opwekken. Het werk overwint vormen van ontwijken en psychische verlamming; het vormt mededogen, broederschap en de verplichting tot handelen.

ibid.

Joanna ziet zowel de vernietiging van het systeem dat het leven in stand houdt, als de toenemende ellende van de helft van de wereldbevolking door honger, geen of slechte huisvesting en ziekten, als dreigingen van dezelfde orde als die tot een atoomoorlog leiden:

Giftige afvalstoffen, zure regen, verhoogde radioactiviteit, verlies van bovengrond en bosgrond, zich uitbreidende woestijnen, zeeën, uitstervende planten en dieren – die ontwikke-

16

lingen die voortkomen uit onze manier van consumeren en produceren, werpen de schaduwen van veel grotere rampen vooruit.

ibid.

Zij merkt in haar werkgroepen dat het meest voorkomende antwoord op die bedreigingen zeer complex is als men de toestand ten volle tot zich laat doordringen:

Er is angst – vrees voor datgene waardoor ons dagelijkse bestaan wordt overvallen en grote angst bij de gedachte aan het lijden dat onze geliefden en anderen nog wacht. Er is boosheid – ja, en verbitterde woede dat wij moeten leven met zo'n vermijdbaar en zinloos einde van de menselijke ondernemingsgeest. Er zijn schuldgevoelens; want als lid van de samenleving voelen we ons betrokken bij dit onheil en laat de gedachte dat wij in staat zijn het tij te keren, ons niet los. En bovenal is er droefheid. De confrontatie met een veelomvattend en definitief verlies zoals dit, brengt meer tragiek mee dan men in woorden kan uitdrukken.

ibid.

Maar hoewel deze ellende wellicht ons leven beïnvloedt, zijn onze reacties op een bedreiging dikwijls verkeerd:

Zoals herten vaak worden gevangen of 'in het nauw gedreven' in het licht van de koplampen van de jager, raken wij dikwijls verstard door de angst ons door die ellende heen te worstelen... Als samenleving zitten wij gevangen tussen een gevoel van een op handen zijnde apocalyps en de angst dat te erkennen. Onze reacties op deze 'ingesloten' plaats zijn geblokkeerd en verbijsterd.

ibid.

De grondgedachte van Joanna's werk is haar geloof in de boeddhistische opvatting dat alle leven onderling verbonden is en dat de erkenning hiervan de verlossing van psychische verdoving kan betekenen.

Wat maakt dat wij begaan zijn met onze wereld? En wat ontdekken wij als we ons door die zorgen heen werken? Wat wacht ons daar 'aan de andere kant van de wanhoop'? Er is één antwoord op al die vragen: dat is de onderlinge verbondenheid met het leven en met alle andere wezens. Het is het levende web waaruit ons persoonlijke, afzonderlijke bestaan is voortgekomen en waarin wij toch zijn verweven. Ons leven omvat meer dan ons lichaam, in wezenlijke onderlinge afhankelijkheid met de rest van de wereld.

Elk systeem, of dat nou een cel is, een boom, of een geest, is als een transformator en verandert de stof die er doorheen stroomt. Wat door het fysieke lichaam stroomt, noemt men materie en energie; wat door de geest stroomt, wordt kennis genoemd; maar het onderscheid tussen materie, energie en kennis is onduidelijk geworden. Wat evenwel duidelijk is, zijn de principes waardoor systemen zich ontwikkelen – en bij deze principes staat openheid ten opzichte van het milieu, openheid ten opzichte van het terugkoppelen, centraal. Op die manier worden vorm en begrip tot bloei gebracht. Want de levensvormen worden door wisselwerking in stand gehouden.

Een centraal thema in elke grote religie is heel eenvoudig dat: we de zinsbegoocheling van het afgescheiden zijn, moeten doorbreken en ons het onveranderlijke feit dienen te realiseren van onze onderlinge afhankelijkheid. Dit onderwerp is dikwijls verborgen gebleven en verwrongen, maar het bestaat nog steeds. Van de joodse leer, het christendom en de islam tot het hindoeïsme, het boeddhisme, het taoïsme en indiaanse religies, en matriarchale religies; overal zien we voorstellingen van het heilige web waarin wij zijn verweven. We worden kinderen van één god en 'leden van één lichaam' genoemd; we worden beschouwd als druppels in de oceaan van Brahman; we worden afgebeeld als stenen in het net van Indra. Tussen dat alles bestaan wij – als synapses in de geest van een allesomvattend wezen.

In onze tijd, nu we ons geheugenverlies trachten te overwinnen en het bewustzijn van ons onderling verbonden bestaan terugkrijgen, keren we terug naar die oude paden – en stellen ons weer open voor nieuwe spirituele perspectieven. We bewegen ons voorbij de gespletenheid van geheiligd en

18

wereldlijk. In plaats van goddelijkheid toe te kennen aan een transcendent wezen in een andere wereld, zien we dat deze inherent is aan het proces van het leven... we zien in dat god, net als wij, dynamisch is – een werkwoord, geen zelfstandig naamwoord. En daardoor staan we open voor stemmen waar men lang niet naar heeft geluisterd, en voor stemmen die op een geheel nieuwe manier over onze gemeenschappelijke bagage praten... En zo beginnen we ons weer te verenigen. Dat is inderdaad de betekenis van religie: tot elkaar te komen, te herinneren.

ibid.

Het belangrijkste van Joanna's werk ligt op het gebied van scheppend voorstellingsvermogen; de speciale manieren waarop men haar technieken ervaart, staan beschreven in haar boek *Despair and Personal Power in the Nuclear Age*.

Joanna maakt gebruik van manieren van 'openstaan' door de ademhaling, door lichaamsbewegingen, door geluid – 'de lucht door ons heen laten stromen in open klinkers, waarbij onze stemmen zich verweven in ah's en oh's, *Om*'s en *Shalom*'s' – en in stilte. Maar haar allerbelangrijkste les ligt wel in de visualisaties die zij vervolmaakt heeft, gebaseerd op de boeddhistische praktijk van liefhebben, mededogen, vreugde om de vreugde van anderen en gelijkmoedigheid.

Zij gebruikt een meditatie die tot richtsnoer dient, waarbij de deelnemers twee aan twee tegenover elkaar zitten met het gezicht naar elkaar toe. Zij kijken elkaar aan.

'Als je dit wezen in de ogen kijkt, word je dan bewust van de krachten die er zijn... Achter die ogen bevinden zich onmetelijke reserves van vernuft en geduld, van wijsheid en ervaring. Bedenk dan wat deze nog niet aangeboorde krachten kunnen betekenen voor het helen van de planeet en voor het welzijn in ons dagelijkse leven. Als je dat bedenkt, verlang dan bewust dat die persoon vrij is van haat, vrij van hebzucht, vrij van zorgen en van de oorzaken van lijden... Weet dat je nu het prachtige liefhebben ervaart... Het is goed om een wereld te vormen.

En als je dan in die ogen blikt, word je dan bewust van het lijden dat je ziet. Tijdens die levensreis hebben zich zorgen

19

opgehoopt... Woorden schieten tekort voor alle mislukkingen en verliezen, smarten en teleurstellingen. Stel je daarvoor open, open voor dat lijden, voor de pijn die de persoon wellicht nooit met een ander levend wezen heeft gedeeld... Wat je dan ervaart, is het grote mededogen. Dat is goed voor het helen van onze wereld.

Als je in die ogen kijkt, stel je dan open voor de gedachte hoe goed het zou zijn gezamenlijk iets te ondernemen... Denk je eens in hoe bereid je wellicht bent om samen te werken... risico's te nemen in een samenwerkingsverband... Bedenk eens hoe fijn dat is, de opwinding en het plezier als je samen iets onderneemt... Stoutmoedig op te treden en elkaar te vertrouwen... Als je je openstelt voor die mogelijkheid, dan stel je je ook open voor de grote rijkdom; het genoegen in elkaars krachten, de vreugde in elkaars vreugde.

Laat ten slotte je bewustheid als een steen heel diep in je binnenste zakken, onder het peil dat woorden of daden tot uitdrukking kunnen brengen... Adem diep en rustig... Open je bewustzijn voor het diepliggende web van verwantschap dat de basis vormt van alle ervaringen, alle kennis, en die ons ook onderling verbindt... Het is het levensweb waarin je bestaat en waarin je ondersteund wordt... Dat enorme web waar je niet uit kunt vallen... geen enkele domheid of mislukking, geen enkele persoonlijke onvolwaardigheid, kan je ooit afscheiden van dat levende web, want dat is wat je bent... en waaruit je bent voortgekomen... voel de zekerheid van die wetenschap. Voel die grote vrede... steun daarop... Vanuit die enorme vrede kunnen we elk waagstuk aan. We kunnen vertrouwen hebben. We kunnen handelend optreden'.

Joanna maakt te allen tijde gebruik van deze meditatie – in de trein of de bus, of in de rij voor de kassa.

'Het vult dat ongebruikte moment met schoonheid en openbaring. Als we mensen op die manier zien en meemaken, opent dat de heiligheid van het ogenblik voor ons; en kunnen we het eveneens uitbreiden naar niet-menselijke gebieden, zoals dieren en planten. Het is ook nuttig in de omgang met mensen die we eigenlijk niet zo graag mogen, of die we veronachtzaamd hebben. We gaan die mensen dan op een andere manier zien. Als we deze oefeningen doen, gaan we ons realiseren dat we niet bijzonder edelmoedig of vroom hoeven te zijn om ons bewust te worden van de kracht van ons één-zijn met andere wezens. In onze tijd is dat simpele ontwaken een geschenk dat de bom voor ons heeft. Want met alle gruwel en zinloosheid is de bom ook de manifestatie van een verschrikkelijke spirituele waarheid – de waarheid over de hel die we voor onszelf scheppen als we ophouden te leren hoe we moeten liefhebben'.

Een van Joanna's andere oefeningen is 'scherpzinnige ecologie'. Het betekent leren 'luisteren naar de ahorn of de gardenia omdat zij mij iets te zeggen hebben. En openstaan voor de hond op de hoek die me vertelt wat het betekent een golden labrador te zijn'.

Maar haar meest diepzinnige onderricht, nog in het stadium van interpretatie, is wellicht haar visie over de toekomst, over wat het leven voor ons allemaal kan zijn:

Ik noem het ''sociale mystiek''. Het is prachtig als je ziet wat het aan resultaten oplevert. Je moet weten dat ik grote waarde hecht aan het hele begrip van incarnatie – dat de godheid vorm kan aannemen. En zo speel ik graag met de gedachte uit het hindoeïsme dat god verstoppertje speelt. Ik moet daar in het bijzonder aan denken als mensen me confronteren met een uitdaging. Kan god me bijvoorbeeld voor de gek houden door te incarneren in deze handelaar in gebruikte auto's? Kan god zich met succes verstoppen in de postbeambte die altijd geld wil ontvangen? Dat verhoogt mijn vreugde in het leven aanzienlijk.

Zelfs als men de meest vreselijke dingen hoort – over verkrachters en kindermishandeling – dan is het wel moeilijk het spelletje te spelen, maar het hele begrip dient nu als basis voor groepswerk en in de groep kan men de meest vreselijke handelingen op deze manier bekijken. Ik heb bijvoorbeeld in een groep onlangs gezegd: ''Je wordt gekozen door iemand waar je problemen mee hebt en *wees* dan die persoon, of je hem of haar nou hebt ontmoet of niet''. Ik werd bijzonder getroffen te horen hoe snel en nauwkeurig, en met hoeveel schoonheid deze mensen uit de werkgroep konden spreken. Een van hen werd een milieubeschermer die alle pogingen tegenwerkte die men deed om giftige afvalstoffen op de juiste wijze te

21

verwerken; iemand anders trachtte zich in te leven in de ziel van zijn vader, die een nazi was. Iedereen vond het heerlijk verlost te zijn van een oordeel – vrij zich te identificeren met iemand anders, hoe vreselijk de daden van die persoon ook waren.

'Dit betekent voor mij het vorm aannemen van iets waar ik al lang naar verlangde, en ik noem het sociale mystiek. Waar het gevoel van waarheid en verruiming en verlossing – wat de mysticus vond in de mystieke ervaring – ervaren kan worden op manieren die onze ware identiteit, onze onderlinge verbondenheid en het *samen bestaan* met andere wezens aan het licht brengt. En ik geloof dat dit het ontwaken is dat nu voor ons ligt, en dat beslist noodzakelijk is om te overleven. Dit is een vorm van mystieke ervaring – om uit je zelf te treden, je gevoel van zelf, en het gevoel van identiteit door te geven aan iemand anders. Dat hoeft niet god te zijn – je kunt een boom worden, en het is heerlijk mensen te horen praten over een pijnboom of een sequoia of een verplante eucalyptus. Je ervaart dat alsof anderen *door je heen praten* en je zelf in verbinding staat met iets groters.

Je hebt een gevoel of je doorgewerkt bent, of er iets is dat door je heen werkt. En zo wordt de werkgroep een centrum van spirituele oefeningen omdat hij zo vormend, evenwicht brengend en uidagend is. Op deze manier kunnen we genade vinden, het is een door de aarde geschapen vorm van spiritueel leven. Die genade doet ons openstaan voor datgene wat zich buiten het zelf bevindt – en wat zich buiten het gebied bevindt waar het zelf weet van heeft. En daar is de Tegenwoordigheid die ons omhult en ons liefheeft. Die ervaring is binnen ieders bereik.'

---

* Deze woorden werden door de schrijfster opgenomen tijdens haar vraaggesprekken met Joanna Macy. Alle fragmenten uit vraaggesprekken zullen in deze vorm worden weergegeven.

MEINRAD CRAIGHEAD

Momenten van werkelijke bewustheid, waar het zelf geen beperkende invloed heeft, zijn als regel snel voorbij maar onuitwisbaar. We vergeten ze nooit. Ze blijven ons bij als momenten die buiten de tijd vallen.

Het is een vergissing te geloven dat alleen een geestelijk ontwikkeld mens dergelijke openbaringen kan ervaren. Het is niet zo dat die momenten komen als je vele uren zit te mediteren of te bidden, ofschoon je ze bij wijze van spreken voor het oprapen hebt als die meditatie de harde kern van het zelf week maakt en opent. Maar in aanleg is het iedereen gegeven – zowel kleine kinderen als zeer oude mensen, zowel de moordenaar als de monnik, en voor zover wij weten ook dieren – en je kunt het aanvaarden of negeren.

Meinrad Craighead maakte zo'n moment mee toen zij zeven jaar was en haar hond vasthield om het beestje in slaap te aaien.

Ik denk dat iedereen die middag sliep in Little Rock. Samen met mijn hond zat ik op een koel plekje aan de noordkant van het huis van mijn grootouders. Beschermd tegen de hitte bloeiden daar de hortensia's. De ronde blauwe bloemen waren groter dan ons hoofd. Ik hield de kop van de hond vast en trachtte haar in slaap te aaien. Maar ze bleef mij met starende blik aankijken. Toen ik in haar ogen keek, besefte ik dat ik nooit verder zou reizen dan in de ogen van dit dier. Op dat speciale moment mocht ik door de ogen van mijn hond het oneindige zien, en ik was oud genoeg om dat ook te beseffen. Zij waren zo diep, zo verbijsterend, en zo onbereikbaar als een nachtelijke hemel. En net zo geheimzinnig was er een helder gewaarzijn van water binnen in mij, het geluid in mijn oren dat weerklonk vanuit mijn borst. Het was een rommelend, onstuimig geluid, het geluid van stromend water, een waterval, doorzichtig water. En ik begreep dat die twee dingen bij elkaar hoorden. Ik begreep 'Dit is wat god is. Mijn moeder is

23

water en zij is in mij en ik ben in het water'.

The Mother's Songs

'En ik hoorde een woord – "Kom". En dat was het begin van mijn reis. Het was een uitnodiging die reis te beginnen. Die eerste unieke en wezenlijke ervaring heeft mijn hele leven getekend. Het betekent alles voor me. Het was de allereerste, innerlijke en essentiële uitnodiging die reis te aanvaarden met die persoon die tot mij sprak.

In het westerse denken, waar men gelooft dat god "buiten ons" is, vindt men het heel moeilijk die niet-dualistische denkwijze dat alles wat is, god is, te aanvaarden. Buiten of binnen ons, is god. Ons voortbestaan in de wereld schijnt erop aan te dringen dat we buiten en binnen uit elkaar houden; en onze manieren van denken voegen nog eigen meningen toe aan het onderscheid dat we maken, zodat we totaal vergeten dat er iets is dat verder gaat dan alle onderscheid. We zien de waarheid over 't hoofd dat god zowel de drijfkracht is voor het lichaam en de geest als voor de foetus in de baarmoeder, en ook de hoogste wijsheid van de mensheid betekent.'

Voor Meinrad was het altijd al duidelijk:

Toen ik geboren werd, was ik al geboren. Ik werd geboren en herinnerde me dat er rivieren stroomden vanuit het lichaam van mijn moeder in mijn lichaam. Ik bid bij haar levensbron, verzadigd in haar melk en bloed, water en honing. Zij geeft mij de betekenis van de religie door omdat zij mij verbindt met onze bron in god de moeder.

(ibid.)

In al haar werk als schrijfster en kunstenares brengt Meinrad dezelfde diepe gevoelens omtrent haar moedergod tot uitdrukking:

Ik ben open in oneindig schenken;
Ik ben gezwollen van al het vergaarde,
Ik zal van geen van beide ooit verstoken zijn.

(ibid)

Meinrad groeide op in Chicago. Haar oudoom van één kant was een bekende Duitse monnik, eveneens Meinrad geheten, van de abdij in Einsiedeln in Zwitserland. En haar overgrootmoeder van de andere kant was een Indiaanse. Zij heeft levendige jeugdherinneringen aan de zomers die ze bij Memaw, haar grootmoeder, op het platteland doorbracht, en aan de grote verwantschap die ze voelde met zowel haar moeder als haar grootmoeder.

Hoewel Meinrad rooms-katholiek werd opgevoed, heeft zij zich god nooit anders voorgesteld dan als een moeder. Al gauw na haar verlichtende ervaring met de hond en de wateren van haar lichaam, zag ze in een leerboek op school een foto waarop ze haar 'moedergod' herkende. Het was een afbeelding van de Venus van Willendorf, een beeldje dat dateert uit 16000 à 10000 jaar v. Chr.

Maar zij had geen gezicht, de Venus had een kroon van golven water rond haar hoofd en die overschaduwden haar gezicht. Haar hele lichaam sprak mij aan, haar lichaam met borst en schoot; daaronder een dikke bol waaruit een stralenkrans van water omhoog spuit, het water dat in mij stroomt. Vanaf dat moment was ik altijd naar haar op zoek. Met haar samen te zijn, was zonder twijfel de oorsprong van mijn verlangen naar een leven van religieuze bespiegeling. Ook wilde ik een kunstenares zijn. Ik had toen maar één bede en die heb ik nog steeds: 'Laat me uw gezicht zien'.

(ibid.)

Gedurende een half leven van christelijk geloofsbelijden is mijn heimelijke verering van god de moeder de vaste basis van mijn spirituele leven. Het deel hebben in haar lichaam, in de natuurlijke zinnebeelden en ritmes van al het organische leven en de verwezenlijking van haar zinnebeelden in mijn leven als kunstenares, zijn een onwrikbare bescherming tegen de negatieve patriarchale waarden van het christendom, het geloof dat ik nog steeds belijd. Zoals vele andere vrouwen die hun christelijke erfgoed liever nieuw leven wilden inblazen dan het prijs geven, is mijn spirituele leven gesterkt door toewijding aan een persoonlijke visie die de vrouw bevestigt als een authentieke beeltenis van het goddelijke en die het orthodoxe beeld van de verheven god de vader verlicht, bezielt en verrijkt.

Een vrouw geeft bloed van haar lichaam en van haar geest. Herinneringen roeren zich en vormen zich; ze worden onthouden, hervormd en opgewekt tot beelden. Of we nou weefsel in de baarmoeder brengen, of beelden in de geest, ons werk speelt zich af op het sexuele vlak: het werk van de conceptie, de zwangerschap en de geboorte. Onze geest moet zich concentreren op de bevestiging van onze vrouwelijke sexualiteit in de tijdperken van cyclische veranderingen. Ons vrouwelijke bestaan is verbonden met de metamorfoses van de natuur; de zuivere mogelijkheden van water, de herscheppende kracht van bloed, het seizoensritme van de aarde, de cycli van licht en donker van de maan.

In eenzaamheid worden onze diepste gedachten omtrent een in ons levende persoonlijke godsgeest bevestigd, de moedergod die zich nooit van ons afwendt en wier tegenwoordigheid ons bestaan is, en het leven van alles wat bestaat. Haar ongesluierde glorie is te geweldig voor ons om te aanschouwen; zij verbergt haar gezicht. Maar we vinden haar gezicht weerspiegeld, in heilige gedaanten, overgebracht door het ongekunstelde, door het verlangen die boodschappen, die ons onrustige denken doorgeeft, met bezieling te ontvangen; en de wil die energie te definiëren en om te zetten in aanbidding.

The Feminist Mystic

Meinrad was als klein kind al artistiek begaafd en toen zij afgestudeerd was, ging zij kunst doceren in Albuquerque, New Mexico. Daarna kreeg zij aanstellingen in Europa, in het bijzonder in Florence, waar zij enkele jaren woonde. Toen zij daar verbleef, kwam ze tot de schokkende overtuiging dat zij non moest worden. Zij verlangde al een hele tijd naar een leven van contemplatie dat zij volledig wilde wijden aan het zoeken naar het gezicht van god, en hoewel zij wist dat het wellicht zou betekenen dat zij het schilderen voor altijd moest opgeven, besloot zij toch die stap te doen.

'Ik wist heel zeker dat van mij werd verwacht dat ik non werd. Ik wilde me onherroepelijk afzonderen voor god en ik wilde dat de wereld ook formeel laten weten. Het was een bekendmaking aan de wereld dat god het allerhoogste is en alles wat men doet, is een dienstverlening aan god.

En ik wilde bidden, zoeken naar god, ontvangen en in een ontvankelijke toestand verkeren, een leeg vaartuig zijn. Want ik wist op de een of andere manier dat het vullen van het vaartuig dat vaartuig vernietigt als je vol bent van god – misschien niet zozeer vernietigt als wel verzwakt, een idee van jezelf als *niets*. En de contemplatie, de toestand waarin je je bewust bent van je eigen niets-zijn, is innerlijk – het maakt deel uit van de dankzegging. Je hebt iets gekregen dat zo krachtig is, van zo'n verzengende, verbijsterende schoonheid dat je je in het aangezicht van deze schoonheid bewust wordt van je eigen nietigheid.

En dan ontdek je dat alles een handvol stof is. En dat is wat je wilt zijn, je wilt die handvol stof zijn. En ik dacht dat een klooster iets was waar je naar toe ging om een handvol stof te zijn'.

Om te beginnen besprak ze haar besluit met een bevriende priester, die zeer schrok van haar plannen. Hij was enigszins op de hoogte van wat zich in kloosters afspeelde en verzekerde haar dat zij het grootste deel van haar leven zou moeten vullen met aardappels schillen en hij dacht niet dat god dat met haar voorhad. Het maakte evenwel geen indruk op haar en daarom stelde hij voor dat zij naar een zeker Benedictijner klooster in Engeland zou gaan. Hij dacht dat men haar talenten daar wellicht zou ontdekken en dat zij daar het leven van contemplatie zou vinden zoals zij dat voor ogen had. En zo begon zij aan veertien jaar van afzondering waarvan de eerste vijf de meest vreselijke jaren van haar leven waren.

'Mijn eigen idee van het kloosterleven berustte eigenlijk nergens op, ik wist niets. Vanwege mijn zeer grondige studie van de kunst wist ik een heleboel van de Benedictijners. De meeste middeleeuwse kunst vindt zijn oorsprong in die kringen. Alles, van het kleinste manuscript tot het grootste raam en de hoogste kerk, is een expressie van de geloofsregel van St. Benedictus, dat prachtige 'werk, bid en lees'. Dat is een

27

prachtig ideaal.

Ik wist dus een heleboel van het Benedictijner ideaal, maar ik wist niets van de realiteit van het leven in een klooster. Ik was mijn hele leven alleen geweest en alles aan mij was over het geheel genomen anti-gemeenschap. Mijn eerste kennismaking met die abdij was verschrikkelijk. Het was een lelijk gebouw en de mensen die ik ontmoette, waren ontmoedigend. Ik was nooit in aanraking gekomen met de Engelse hogere kringen en ik vond die mensen allemaal zo eigenaardig. Wij kwamen uit verschillende werelden.

Slechts de aanwezigheid van één oude non bracht mij ertoe in te treden. Alles aan haar was goed en ik zei tegen mezelf: dit is het ware. En op die basis waren alle anderen niet belangrijk. Ik kwam tot de conclusie dat het was zoals in de natuur waar van alle zaadjes die uit een boom vallen – en ze vallen allemaal op dezelfde grond, met dezelfde zon en dezelfde regen – er maar één gaat groeien om weer een boom te worden. Dat is een deel van het mysterie van het leven.

Ik dacht eigenlijk dat het kloosterleven op dezelfde manier zou verlopen. Wij allen in dezelfde aarde, allemaal dezelfde voeding, dezelfde kansen, maar niet iedereen zou verlost worden. Ik beschouwde mijn ontmoeting met die non als een geschenk van de geest en ik trof voorbereidingen om in te treden.

De vijf jaar die ik als novice doorbracht, waren de vreselijkste jaren van mijn leven. Tot dan had ik er werkelijk geen benul van wat pijn eigenlijk was. Men had altijd van mij gehouden en mij aangemoedigd, ik had de Fulbright Award gewonnen; de wereld had mij altijd positief benaderd. En ik dacht dat dit kwam door wat ik in mij had. Maar als novice werden we vijf jaar lang afgezonderd van de rest van de gemeenschap en waren we ondergeschikt aan een vrouw die ons trachtte te vernietigen, en mij in het bijzonder. In het begin verkeerde ik in een voortdurende toestand van ongeloof, maar uiteindelijk moest ik wel aanvaarden dat zij een werktuig was dat trachtte mij af te beulen of mij iets aan te doen. En er waren inderdaad momenten dat ze mij bijna kapot kreeg.

En tijd voor contemplatie was er niet. We werden constant beziggehouden, het ene karweitje na het andere. Ze willen niet dat je stilletjes zit te denken, laat staan te bidden. En dat maakte deel uit van de vreselijke zielestrijd van die vijf jaar. Ik dat je stilletjes hield het vol omdat ik er geen moment aan twijfelde dat er van mij werd verwacht daar te verblijven. Ik moest het gewoon aanvaarden als deel van het grote mysterie, en als loutering. En ik dacht dat het wellicht tijd werd dat ik de keerzijde van de medaille ging zien, ik werd een beetje door elkaar geschud. Het was erg moeilijk, maar wel zinnig. Ik betreur het niet, ik ben zelfs blij dat mij dit overkwam.

Vervolgens legde ik de laatste geloften af en vertrok uit die overweldigende, akelige broeikas om naar een wat normalere gemeenschap te gaan. En in die gemeenschap was ik heel erg gelukkig, ik functioneerde daar heel goed. Ik hield van het ritueel van de diensten en van de dagindeling. Ik begon ook weer te schilderen. In het begin deed ik allerlei karweitjes, ik werkte bijvoorbeeld in de tuin. Maar ze kwamen al gauw tot de ontdekking dat alle schilderijen die ik in het kloosterwinkeltje ophing, onmiddellijk verkocht werden. Het gevolg was dat ik maar heel kort onkruid heb gewied of soep gemaakt. Ik kreeg een klein atelier waar ik mocht werken en toen ik wegging, brachten mijn schilderijen en affiches zeker ongeveer ƒ 18.000 per jaar op voor de abdij. Ik weet dat omdat de magazijnmeester tegelijk met mij vertrok.

Toen ik mijn plechtige geloften aflegde, dacht ik niet dat ik daar ooit nog weg zou gaan. Ik had er moeite mee, te zien dat andere mensen niet functioneerden. Velen waren neurotisch, anderen onverschillig ten opzichte van de mogelijkheden van het leven. Ik ontdekte dat er altijd water in de wijn werd gedaan om het evenwicht te vinden tussen de ontwikkelde en minder ontwikkelde mensen, tussen degenen die fantasie hadden en de wat saaie mensen. En ik denk dat de christelijke barmhartigheid verkeerd werd gebruikt. Je had bijvoorbeeld in de vrije tijd wel eens een interessante discussie met een paar mensen, laten we zeggen over het laatste boek van Thomas Merton. En dan kwam er een zuster langs die nauwelijks kon lezen en alleen maar over het weer kon praten. En dan vereist de christelijke barmhartigheid dat je het gesprek stopt om een half uur met haar over de donkere wolken te praten. Ik vond dat vreselijk. Ik vond het ergerlijk dat wij haar niets mee konden geven, en alleen maar moesten zwijgen terwijl zij het gesprek overnam. Op een bepaald moment in de veertien jaar die ik daar doorbracht, begon het regeltje van Thomas Merton: "Het kloosterleven heeft niets te maken met voortbestaan, maar met vrijheid", mij bezig te houden. Ik kreeg het gevoel dat vrijheid ook vrijheid moest voortbrengen. Maar zo ging het niet. In zekere zin was het juist tegenovergesteld; hoe meer ik bezig was met schilderen, waardoor ik steeds meer contacten buiten het klooster kreeg en ook mensen ontving en boeken schreef, des te onplezieriger vond men dat in de gemeenschap. Hoe meer ik andere dingen beleefde dan de anderen, hoe vaker ik werd afgewezen. En uiteindelijk kwam ik tot het besef dat ze niet waren geïnteresseerd in vrijheid. Ze waren alleen maar geïnteresseerd in het voortbestaan van de Benedictijner orde en in het voortbestaan van de abdij in het bijzonder. Dus het soort mensen dat zij accepteerden, werd hoe langer hoe meer het soort mensen dat in hun straatje paste'.

Toen Meinrad daar vertrok, ging zij terug naar New Mexico, waar zij nu nog woont met haar honden. Het is een paar minuten lopen van de Rio Grande en het huis kijkt uit op de besneeuwde toppen van het Sandiagebergte.

Ik vond de landstreek die bij mijn innerlijke landschap paste. Er ging een deur open die de scheiding vormde tussen innerlijk en uiterlijk. Wat mijn ogen zagen, verweefde zich met beelden die ik in mijn lichaam droeg. Beelden die op de muren van mijn schoot waren geschilderd, begonnen duidelijk te worden.

The Feminist Mystic

Zij houdt een vast ritme in stand voor haar gebeden en in haar tuin heeft ze een klein, met Indiaanse tekens versierd altaar waarop zij elke morgen bij het aanbreken van de dag een vuur ontsteekt.

'Ik moet beslist opstaan om de zonsopgang te zien. Ik wil daar staan en dat wonder van de opkomende zon meemaken. Ik ben dol op de uren voordat het licht wordt. Ik wil dat licht uit de duisternis zien komen, iedere dag weer.' Op dagen gewijd aan heiligen en op de dagen van de equinox en zonnewenden leidt

Meinrad speciale dankdiensten.

De meest zuivere erediensten om haar aanwezigheid in ons te bevestigen, zijn de eenvoudige veelbetekenende daden ten aanzien van de natuurlijke dingen buiten ons zelf – het aanraken van een steen of een boom, het drinken van water en melk, bij een vuur zitten of in de wind staan en naar de vogels luisteren. Het zien van de delen, die tot een geheel worden en zo het innerlijke en het uiterlijke met elkaar verbinden. De verering is de verstandige concentratie, de wil tot rust te komen, te ontvangen, samen te zijn met de vogel of het gras, zich richten op het anders-zijn, haar volkomen goddelijke anders-zijn belijden in de volmaaktheid van elk levend schepsel.

(ibid.)

Zij vindt dat ze nog steeds dezelfde weg gaat als vroeger, maar het is allemaal duidelijker geworden.

'Ik zie alle leven als de openbaring van haar en mijn hele leven moet in feite één al gehele daad van dankzegging voor het mysterie zijn. We komen elk jaar meer te weten over deze goddelijke aarde en ik twijfel er niet aan dat dit één sprankje is in een totale goddelijke schepping.

Het ware mysterie van het bestaan ligt in de kloof tussen ons en dat wat zij is. Hoewel ik het universum als een manifestatie van haar zie, is het toch alsof we stukjes van haar mogen waarnemen, en als ik naar het geheel smacht, is daar weer die kloof. Maar ik denk dat het in liefdesrelaties niet anders is. Hoeveel je ook van iemand houdt en hoe goed je iemand ook kent, die kloof is er altijd. En die kloof is het mysterie.

Ieder van ons is een universum. Leven en dood zijn de gelijke helften van één enkele omwenteling, vormen een hele bol, zijn wisselende fasen van dat ene blijvende mysterie.

Ik denk dat we allemaal een klein beetje verstand of kennis of wijsheid hebben gekregen – sommige mensen wat meer. Maar ik geloof wel dat we die gewaarwording op verschillende manieren beleven, en zowel emotioneel als psychisch en als artieste heeft mijn uitrusting me mijn hele leven god eenvoudigweg doen zien als schoonheid. Anderen noemen dat wellicht

31

waarheid of wijsheid. En deze god van schoonheid leidt mijn hele leven en die leiding komt als een gave van schoonheid vanuit de geest. Zo zijn het ook gaven van schoonheid om al die onmetelijke wonderen van het leven naar waarde te schatten. Het betekent dat ik soms helemaal ontdaan ben als ik een blad zie trillen in de wind. Dat zijn geen belangrijke gebeurtenissen. Maar dat komt waarschijnlijk door de artistieke vorming. Ik ben geen denker, geen lezer, geen theoreticus – ik ben inderdaad alleen maar een ontvanger. Ik hou ervan om me heen te kijken, en ik bid ook heel vaak buiten. Een van de moeilijkste dingen in het klooster was dat gedwongen bidden in de kerk. Ik heb nooit begrepen wat we daar met z'n allen deden.

Elk mens heeft zijn of haar eigen inzicht in het geheel en ik beschouw dat als een verbondenheid. We hebben elkaar allemaal nodig om de volledigheid van de grote geest te zien. Al deze afzonderlijke visies, en mensen die zeer gelovig zijn en geestelijk volmaakt worden, maken de wereld volmaakt. Ik geloof waarachtig dat er maar een heel klein beetje van het goede nodig is om een enorme hoeveelheid kwaad onschadelijk te maken. Ik geloof in een of ander soort goddelijk evenwicht – dat er nog altijd genoeg van ons zijn die eenvoudigweg heel reëel zijn en die ook doen wat er van hen in het bijzonder wordt verwacht om alles in evenwicht te houden – maar dat moeten we dan ook wel *doen*. We moeten dat goed en duidelijk doen. Met 'doen' bedoel ik niet dat we absoluut moeten handelen, maar heel eenvoudig reëel zijn; en alles vermijden wat onevenwichtig is, alles wat minder is dan reëel, minder dan volmaakt, minder dan de waardigheid van het mens-zijn.'

Ondanks dat Meinrad zich vele jaren heeft beziggehouden met een religie waar mannen de dienst uitmaken, zijn haar eerste gevoelens omtrent god als een 'zij' nooit veranderd, hoewel zij nu het vrouwelijke meer ziet als deel van een polariteit.

'Zij is een deel van die openbaring van het mysterie zoals ik dat als kind zag. Nog steeds zeg ik vaker zij dan hij, maar eerlijkheidshalve moet ik wel zeggen dat ik als regel over de grote geest praat. Ik voel een zeer grote betrokkenheid bij het mysterie van de polariteit. Samen vormen zij een geheel; er is geen donker zonder licht, en ook geen mannelijk zonder vrouwelijk. Dus als ik zij zeg, houdt dat in dat er ook een hij is. In mijn gebeden zeg ik niet 'zij', maar 'u' – en, uiteraard, 'moeder'. En soms bid ik tot mijn eigen moeder als ik mijn moeder zeg, en soms ook wel tot de grote moeder. Mijn moeder is overleden en nu is zij ook een deel van het grote mysterie, en er is dus geen afgescheidenheid meer. De enige manier waarop ik mij het universum kan voorstellen, is als een onmetelijke, zich eeuwig ontvouwende schoot – dat is het enige wat mij aanspreekt.

Het geheim van de verering van god als mijn moeder hield ik binnen het christelijke geloof. Dat was zo hecht en zo schijnbaar onherroepelijk dat ik dacht dat ik nooit zou kunnen schrijven over mijn leven met god. Maar er was een uitgever die mij zeer nadrukkelijk zei dat wel te doen, en uiteindelijk moest ik wel aannemen dat dit best eens de geest kon zijn die tot mij sprak. Daarna maakte ik het ene schilderij na het andere, en schreef ik mijn boek *The Mother's Songs*.'

Meinrad is een buitengewoon mens, een alleen levende schilderes – dichteres – mystica, misschien volgens de traditie van William Blake; en veel van haar schilderijen hebben wel degelijk iets van zijn speciale talent. Haar geschriften zijn helder als een spiegel en haar schilderen is vol van rijke beelden uit haar eigen innerlijke leven. De schilderijen vloeien voort uit haar dromen en uit mythen uit aloude tijden, waar zij dol op is. En het allermeeste uit haar liefde voor dieren. Zij voelt een grote verwantschap met dieren en een heel zuivere grens tussen het dierenrijk en de wereld van de mens.

'Er zijn teveel mensen die de natuur zien als een achtergrond voor hun leven, een scherm dat er toevallig is en waartegen het leven zich afspeelt. Maar het is de bedoeling dat de natuur ons gevoelig maakt voor haar geheimen en ritmes.'

Doordat zij zowel van de beelden uit haar dromen gebruik maakt als van vogels, bomen en dieren, hebben haar schilderijen een hoedanigheid die de kern van ons wezen raakt. Wellicht komt dat omdat ze volkomen origineel zijn en aan geen andere bron ontsproten dan aan Meinrads eigen bron.

'Ik teken en schilder vanuit de mythe van mijn persoonlijke oorsprong. De draad van de persoonlijke mythe loopt door de matriarchale doolhof, van schoot naar schoot, naar de gezichtloze bron en dat is de plaats van oorsprong. Elk schilderij dat ik maak, ontspruit aan een of andere diepliggende bron waar mijn moeder en grootmoeder, en al mijn moeders daarvoor nog steeds leven. Datgene wat in deze persoonlijke mystiek verborgen is, wacht op de overgang van het ene levensstadium naar het andere, gedachten wachten om herschapen te worden in beelden. Soms heb ik het gevoel dat ik een grote ketel van rijpende voorstellingen ben waarin herinneringen tot gezichten worden en vervolgens te voorschijn komen uit mijn vat. En zo is mijn scheppende leven, dat door mij heen werkt, op zichzelf een beeld van god de moeder en haar onafgebroken verrijzenis in ons leven'.

In de schilderklassen en werkgroepen die Meinrad leidt, moedigt zij haar pupillen aan hun eigen mythologie, hun eigen bron te zoeken en die in hun schilderstukken tot uitdrukking te brengen. Zij dringt erop aan dat zij zich zoveel mogelijk trachten te herinneren uit de tijd dat zij kleine kinderen waren, wat zij geloofden en waar zij angst voor hadden, en vervolgens de draad van hun leven vanaf die tijd te volgen, de belangrijkste motieven op te sporen en die in het schilderwerk uit te drukken. Zij vertelt hun dat wij gemeenschappelijke universele herinneringen hebben, van de mythen over de zon en de maan, bomen en dieren, alle ervaringen van de mens in de natuur, en die verbinden ons aan het allereerste gebeuren van de schepping. Als we voeling houden met onze bron in de natuur, worden onze persoonlijke mythen een deel van ons en worden zij ook vernieuwd omdat de natuur het verbindingspunt is tussen het eindige en het oneindige. Het leven is wezenlijk veel meer dan de ervaringen van een mensenleven; het is de uitnodiging voor een reis naar onze oorsprong in god, en onze persoonlijke herinneringen vormen het unieke materiaal van dat onderzoek.

'Als we geboren worden, zijn we verbonden met onze moeder. Welke lagen van het psychische leven van je moeder heb je in de baarmoeder ingezogen, en welke herinneringen van haar had je al bij je voordat je werd geboren'?

Herinneren is iets opnieuw zien en tekenen is dat vastleggen wat je ziet.

Zij vertelt haar leerlingen over haar geloof in een grote

vrouwelijke geest die zich door de hele schepping beweegt – 'god de moeder draagt de krans van al haar schepselen' – en zij beschrijft het proces van haar eigen schilderen, verlicht in 'het schemerige licht van de moeder'.

'In dromen gaan we terug alsof we door de hand van god worden teruggeduwd. En de dingen groeien in het stille verborgen proces dat dan begint. Maar dromen zijn schepselen van de nacht en als je 's morgens je ogen opent en ze wilt bekijken, verdwijnen ze. Maar de taal blijft, en het is wel de taal van de indruk naar buiten, de persoonlijke woordenschat'.

Meinrad toont haar leerlingen de manier waarop ze werkt. Elk schilderij vergt ongeveer een maand en het abstracte landschap op de achtergrond blijft soms een week onaangeroerd, alsof het tot leven moet komen voordat het bevolkt kan worden.

Zij is het eens met Kathleen Raine, die zegt dat de hele natuur wijst op dat wat boven zichzelf uitstijgt.

'We moeten ons laten aanraken, laten leiden door natuurlijke symbolen. Zij wijzen ons de weg naar het heilige. Elk symbool, hoe elementair ook – brood en wijn, zon en maan, rivier en steen, boom en vruchten, melk en bloed – opent een venster op een werkelijkheid die onmetelijk veel groter is dan dat symbool... alles wat de zintuigen kunnen beschrijven, wordt overtroffen. Het is een voertuig van het mysterie en de geïncarneerde tegenwoordigheid van het heilige. Elk ding in de natuur kan het heilige vertegenwoordigen, de aanwezigheid daarvan garanderen en verering te voorschijn roepen. Elk ding wordt waargenomen op het niveau van de directe ervaring, maar heeft wel de hoedanigheid gelijktijdig heilige tekenen, oneindig mysterie, tot uitdrukking te brengen. Het directe en het wereldlijke zijn tot het uiterste door symbolen verbonden. Hun grote kracht kan ons van een oppervlakkig niveau afgooien en energieën vrijmaken die diep in het hart van de mens verborgen zijn. In deze versluierde natuurlijke symbolen ligt de genade besloten. Door die symbolen opent het heden zich wellicht voor een kort ogenblik in de oneindigheid van god. We kunnen dit niet bevatten, en het nog minder beschrijven. Maar intuïtief kunnen we begrijpen dat god de waarheid omtrent zichzelf en omtrent het leven aan ons openbaart door die symbolen uit de natuur. Deze waarheden kunnen we op geen enkele andere manier bevatten'.

Meinrad ziet de reis van de geest als het enige ware doel in het leven en zij verwacht dat deze in volgende levens wordt voortgezet.

Bij de bron van ons diepste zelf is een geheimzinnige onbekende grootheid die steeds weer ontsnapt aan onze greep. We kunnen die nooit in bezit krijgen. Het is dat mysterie dat zich op een afstand ophoudt. Het hart blijft dat onbekende najagen. Er is geen respijt in de uitvoering van het karwei om verder te komen dan het punt waar we al zijn omdat de geest zich nog veel verder weg bevindt. Zij staat aan het eind van iedere straat waar we misschien wel langs komen. Het hele bewegen van ons wezen schijnt zich te concentreren in dit ene punt van identiteit dat in de ontmoeting tot werkelijkheid zal worden. We 'doorzien' nooit wie we van oorsprong zijn.

The Feminist Mystic

MARION MILNER

In tegenstelling tot een mystica zoals Simone Weil, trachtte Marion Milner te ontdekken wat haar waarlijk gelukkig maakte; en hoe en wanneer dat geluk – tegenover genoegen – zich voordeed.

Ik had mij ten doel gesteld momenten van geluk waar te nemen en uit te vinden waar ze afhankelijk van waren. *Maar ik kwam erachter dat er verschil was tussen de dingen die mij gelukkig maakten als ik mijn ervaringen aan een onderzoek onderwierp en wanneer ik dat niet deed.* Dat onderzoeken was op de een of andere manier al een noodzaak die mijn hele bestaan veranderde.

In het begin, toen ik aan het eind van iedere dag naging wat er allemaal was gebeurd en daaruit een keuze maakte van wat mij het beste leek, heb ik veel onverwachte resultaten gehad. Voordat ik met dit experiment begon en ik mij, zonder ooit ergens bij stil te staan, door het leven liet meevoeren, had ik mijn leven afgemeten in termen van omstandigheden. Ik dacht dat ik gelukkig was als ik, zoals dat over het algemeen werd genoemd, 'veel plezier' had. Maar toen ik begon iedere dag de balans op te maken van het geluk, kwam ik tot de ontdekking dat er bepaalde momenten waren die op zichzelf een speciale hoedanigheid hadden, een hoedanigheid die bijna niets te maken scheen te hebben met wat er om mij heen gebeurde aangezien die momenten zich soms voordeden bij de meest alledaagse gebeurtenissen. Langzamerhand kwam ik dan ook tot de conclusie dat dit momenten waren waarop ik toevallig van terzijde naar mijn eigen ervaring stond te kijken, met een wijde blik, terwijl ik geen wensen had en op alles was voorbereid.

Ik werd mij ervan bewust dat geluk... wel degelijk van belang is. Ik was er absoluut zeker van dat geluk niet alleen geen rechtvaardiging behoeft, maar dat het ook de enige afdoende test is of datgene waar ik mee bezig ben, ook goed voor mij is. Maar geluk is uiteraard niet hetzelfde als genoegen, het omvat zowel de pijn van het verliezen als het

37

plezier van het vinden.

Door een dagboek bij te houden van wat mij gelukkig maakte, kwam ik erachter dat het geluk kwam als ik zeer opmerkzaam was. En zo kwam ik uiteindelijk tot de slotsom dat het mijn opdracht was steeds opmerkzamer te worden, steeds meer te verstaan met een vorm van begrip die iets heel anders inhield dan beredeneerd bevatten. En door in te zien dat ik steeds stiller moest worden om veel opmerkzamer te kunnen zijn, ging ik niet alleen door mijn eigen ogen zien in plaats van de dingen uit de tweede hand waar te nemen, maar ik kwam er ten slotte ook achter hoe ik kon ontsnappen aan het eiland waar mijn zelfbewustzijn mij gevangen hield.

A Life of One's Own

Marion Milner werd geboren in 1900 en is de oudste, nog in leven zijnde mystica in dit boek. Maar de draad van zelfontdekking heeft zij nooit losgelaten sinds de dag dat zij aan haar eerste dagboek begon toen zij zesentwintig jaar oud was, en zij is ook nu nog een werkzame en bekende psychoanalytica, en een schilderes en schrijfster van naam.

Toen zij elf jaar oud was, besloot ze zich in de natuur te gaan verdiepen. Zij was dol op dieren en planten. Uiteindelijk kreeg haar passie vorm in de studies fysiologie en psychologie. Zij werkte als bedrijfspsychologe, trouwde, reisde veel en kreeg een zoon, die nu een bekende fysicus is. Na zijn geboorte schreef zij haar eerste en misschien wel haar meest vermaarde boek, *A Life of One's Own*. Zij gebruikte de rustige uurtjes na de voeding van haar zoon, om zes uur 's morgens, om te schrijven. En die speciale tijd, die veel vrouwen zich zullen herinneren als een merkwaardig vruchtbare tijd, schijnt haar boek te hebben doordrongen met een wonderbaarlijk gevoel van het ontdekken en ook terugvinden van de onontbeerlijke kracht van het bestaan, wat geluk toch zeker is.

In *A Life of One's Own* (geschreven onder het pseudoniem Joanna Field), beschrijft Marion Milner hoe zij alles wat haar geleerd is, in twijfel trekt:

Maar ik probeerde niet mijn kennis om te zetten in een

samenstelling van logica en argumentatie. Ik trachtte te leren, niet van de rede, maar van mijn gevoelens. Maar zodra ik mijn waarnemingen begon te onderzoeken, mijn eigen ervaringen ging bekijken, merkte ik dat er verschillende manieren waren om waar te nemen en dat die verschillende manieren mij ook verschillende feiten verschaften. Er was een heel klein gezichtsveld, alsof je het leven met oogkleppen bekeek, met het middelpunt van gewaarzijn in mijn hoofd; en er was een breed gezichtsveld en dat betekende, weten met mijn hele lichaam, een manier van zien die mijn waarneming van wat ik zag, totaal veranderde. Ook merkte ik dat de oogkleppen-manier de manier van de rede was. Voor iemand die gewend was het leven te beredeneren, was het uitermate moeilijk de gewaarwording niet met dezelfde geconcentreerde aandacht te benaderen en op die manier breedte, diepte en hoogte uit te sluiten. Ik vond het geluk via de weg van het brede gezichtsveld.

(ibid.)

Zij besloot een dagboek bij te houden en zoveel van haar gedachten op te schrijven als ze maar kon, al hingen ze als los zand aan elkaar en waren ze misschien ook wel dwaas. En zo schreef ze:

18 juni. Ik wens –
Tijd, vrije tijd om te tekenen en een paar dingen nauwkeurig te bestuderen door middel van mijn gevoelens, niet door denken – om achter de dingen te komen.

Ik wens gelach, de voldoening daarvan, en evenwicht en veelomvattende zekerheid.

Ik wens een mogelijkheid tot spelen, dingen doen waar ik zin in heb, alleen maar om het plezier, zonder doel en ook niet om ervan te leren.

Ik wens de wetten van de groei der dingen geduldig te leren begrijpen. Ik heb het gevoel dat daar geen tijd voor is omdat ik word voortgedreven door de massa, mijn dagen vul met geld verdienen en vriendschappen onderhouden – als een pingpongbal.

17 september.
Vandaag hebben sommigen van ons door Golders Hill Gardens gewandeld. Er was een zwaan in de vijver. Toen voelde ik opeens een plotselinge onmetelijke werkelijkheid... De zwanen en het riet straalden een 'aldus zijn', een 'zo en niet anders' uit, in een totaal andere sfeer dan de wereld van de rede.

(ibid.)

Men kan zich afvragen waarom geluk het criterium van haar onderzoek is, temeer daar mensen als Simone Weil en wellicht ook Evelyn Underhill het niet van belang achtten. Milner had het gevoel dat ze op de een of andere manier verbonden was met een intuïtieve zekerheid hoe men moest leven – 'zo iets als het instinct waardoor een hond gras gaat eten als hij zich ziek voelt'. Zij wist dat dit soort intuïtie door filosofen met zeer veel achterdocht werd bekeken, maar zij ontdekte dat het een mogelijke manier van leven was die je niet over het hoofd kon zien en dat een fundamenteel geluk daar wel eens uitdrukking aan zou kunnen geven.

Terwijl zij voortging haar waarnemingen te ontleden, werd ze zich ervan bewust dat er voortdurend een heel leger gedachten en emoties als heen en weer fladderende vlinders in haar binnenste ronddraaiden, en dat overviel haar een beetje. Zij kwam tot de conclusie dat het de hele onderneming wat eenvoudiger zou maken als ze bepaalde ervaringen uitkoos om die dan nauwkeuriger te bestuderen:

Het eerste dat mij opviel, was dat de meest simpele dingen, zelfs de glinstering van een brandende lamp op het water in mijn bad, mij in bepaalde stemmingen intens genoegen verschaften, terwijl ik voor andere dingen blind was, niet reageerde, afgesloten was, zodat de muziek waar ik altijd van had gehouden, een lentedag of het gezelschap van mijn vrienden, mij geen voldoening meer gaven. Daarom besloot ik te trachten uit te vinden waar die stemmingen afhankelijk van waren. Had ik dat zelf in mijn macht? Ik kreeg soms de indruk dat ze werden beïnvloed door iets dat ik weloverwogen had

40

gedaan. Het was net of ik iets probeerde te pakken en het geschreven woord een net verschafte dat heel even een vage vorm verstrikte die anders was dan de betekenis van de woorden.

Ik ontdekte dat de poging mijn ervaring te beschrijven niet alleen de hoedanigheid daarvan omhoog tilde, maar ook de moeite van het omschrijven maakte mij oplettender ten opzichte van de kleinste bewegingen van de geest. En zo kwam ik tot de ontdekking dat er ontelbare manieren zijn om waar te nemen, manieren die men zelf in zijn macht heeft door wat ik slechts kan beschrijven als een innerlijk gebaar van de geest, alsof ons zelfbewustzijn een centraal punt heeft van het meest diepgevoelde zijn, de kern van onze ikheid. En met deze kern van ons zijn, kunnen we naar welgevallen iets doen, heb ik bemerkt. Dit centrum van bewustzijn scheen zich gewoonlijk ergens in mijn hoofd te bevinden. Maar langzamerhand ontdekte ik dat ik het naar wens kon verplaatsen naar verschillende delen van mijn lichaam, of zelfs naar ergens helemaal buiten mezelf. Ik reisde eens met een nachttrein en ik kon niet slapen omdat de grote hoeveelheid indrukken van de dag door mijn hoofd heen en weer vlogen. Toen 'voelde' ik dat ik mij toevallig in mijn hart terugtrok en mijn geest werd zo rustig dat ik na enkele ogenblikken heel kalm in slaap viel. Maar het verbaasde me te bedenken dat ik al vijfentwintig jaar had geleefd zonder ooit te hebben gemerkt dat zo'n innerlijke verplaatsing van bewustzijn mogelijk was.

(ibid.)

Vervolgens begon zij die bewustheid toe te passen bij het luisteren naar muziek, een bezigheid waar zij veel plezier in had, maar zij vond het wel moeilijk omdat zij zo gemakkelijk werd afgeleid door persoonlijke zorgen en ook wel verdiept raakte in de snelle opeenvolging van haar gedachten:

Ik schudde mezelf dan ongeduldig door elkaar en besloot in alle ernst naar de rest van het concert te luisteren, om dan te zien dat het vergeefse moeite was alleen maar dat besluit te nemen. Langzamerhand merkte ik evenwel dat ik een of andere innerlijke stap kon doen waarna ik vanzelf ging luisteren als het niet lukte door eenvoudig dat besluit te nemen. Soms scheen ik mijn bewustzijn naar mijn voetzolen te zenden; en soms zond ik iets, en dat was ik zelf, naar de gang; of ik kreeg het gevoel dat ik vlak naast het orkest stond.

(ibid.)

Vervolgens ontdekte zij dat er manieren waren om zowel te zien als te luisteren:

Op een dag keek ik zonder bepaalde bedoeling naar een paar meeuwen die hoog in de lucht zweefden. Ik had geen speciale belangstelling voor die vogels en zag dat het 'gewoon een paar meeuwen' waren. Eerst keek ik naar een van die meeuwen en toen naar een andere. En plotseling scheen zich iets te openen. Mijn doelloze tijdverdrijf met iets dat mij bekend was, werd tot een verdiepte vrede en verrukking, en mijn hele aandacht werd gegrepen door het patroon en het ritme van hun vlucht; hun langzame glijden was een vredige dans geworden.

Ik trachtte na te gaan wat er gebeurd was en ik had het idee dat mijn gewaarzijn zich op de een of andere manier had verwijd, dat ik voelde wat ik zag, maar tevens dacht wat ik zag. Maar ik wist niet hoe ik dat voelen en denken tegelijkertijd moest aanpakken en pas drie maanden later drong het tot me door dat het foefje dat ik had ontdekt om te luisteren, ook van toepassing kon zijn om te zien. Dat gebeurde toen ik bedacht hoe graag ik wilde leren uit mijn eigen vel te kruipen om in de dagelijkse dingen van het leven door te dringen, en vervolgens te voelen wat anderen voelden. Maar ik wist niet hoe ik moest beginnen. Toen herinnerde ik me het kunstje met de muziek en ik probeerde mijzelf 'neer te zetten' in een van de stoelen in de kamer... En plotseling nam de stoel een nieuwe realiteit aan, ik 'voelde' de verhoudingen en ik kon ook meteen zeggen of ik daar prettig zat. Ik dacht dat dit misschien wel het geheim was van zien en dat het wellicht ook van toepassing was op weten wat je prettig vond. De gewone manier waarop ik dingen bekeek, scheen vanuit mijn hoofd te komen, alsof dat een toren was waarin ik mijzelf opgesloten hield om alleen maar uit de vensters te kijken naar wat er zich allemaal afspeelde. Nu begon ik erachter te komen dat ik naar beneden en ook naar buiten kon als ik dat wilde, en dat ik daar beneden deel kon uitmaken van wat er gebeurde. Alleen op die manier kon ik bepaalde dingen ervaren die niet zichtbaar waren vanuit die geïsoleerde hoge toren.

(ibid.)

Langzaam maar zeker leerde zij manieren waarop zij haar stemming kon veranderen. Zo zat zij eens met een vriendin, die ziek werd, opgesloten in een stad in Duitsland, en zij voelde zich gedeprimeerd en eenzaam:

Ik werd op een ochtend wakker en merkte dat de zon niet scheen. Ik ging het bos in en liep naar een paviljoen waar ze dranken serveerden. Ik zat aan een tafeltje onder appelbomen en met uitzicht op een uitgestrekt dal. Toen ik daar zat, bedacht ik hoe ik wel eens een andere stemming had kunnen oproepen als ik in woorden trachtte te omschrijven waar ik naar zat te kijken. En dus zei ik: 'Ik zie een wit huis met rode geraniums en ik hoor een kind neuriën'. En deze simpele toverformule scheen een deur te openen tussen mij en de wereld. Ik probeerde naderhand op te schrijven wat er was gebeurd:
'Die trillende schaduwen van de bladeren die bewogen daar boven die hoop gemaaid gras. De schaduwen zijn blauw of groen, een van de twee, maar ik voel ze in mijn botten. Daar beneden in de schaduw van de geul, aan de overkant door de glinsterende ruimte, ruimte die daar zwevend de geul vult, terwijl er zachte geluidjes ronddolen die verloren gaan en overstemd worden; daar voorbij is een invallende zonnestraal tegen het donkere bos zichtbaar, het goud in die straal stroomt rijkelijk in mijn ogen en stroomt door mijn brein in stille poelen van licht. De pijnboom, mijn blik gaat op en neer langs de rechte stam, mijn spieren voelen hoe de wortels zich wijd verspreiden om hem op die manier rechtop te houden op de heuvel. De lucht is vol geluiden, het zuchten van de wind in de bomen, zuchten die weer verflauwen in de overhangende

43

stilte. Er vliegt een bij langs, een goudkleurige golving in de stille lucht. Aan mijn voeten zit een kip opgewonden op een grassprietje te kauwen...'

Ik zat daar onbeweeglijk en nam die gewaarwording tot op de bodem in me op, waarbij de ene golf van verrukking na de andere door iedere cel in mijn lichaam stroomde. Mijn aandacht fladderde als een vlinder van de ene verrukking naar de volgende, moeiteloos, zoals het uitkwam; soms bleef die aandacht hangen bij een gedachte, of ook wel een opmerking, maar die vormden geen ratelende hinderpaal meer tussen mijzelf en datgene wat ik zag. Ik spande me niet meer in om iets te doen, ik was heel erg tevreden met de dingen zoals ze waren. Er zijn tijden geweest dat mijn verschillende gevoelens heel vaak met elkaar in conflict kwamen zodat ik wel kon kijken en ook kon luisteren, maar niet allebei tegelijk. Nu waren horen en zien en gevoel van ruimte opgegaan in één geheel.

(ibid.)

Hierna begon Marion anders te denken over haar leven:

Niet als de trage successen die passend waren voor het doel dat ik mij had gesteld, maar als de geleidelijke ontdekking en groei van een doel dat ik niet kende.

(ibid.)

Op dit punt begon ze te zoeken naar een regel of een principe dat haar kon leiden:

Bij het overwegen van deze zaken begon een nieuw denkbeeld op te doemen. Langzamerhand drong het tot mij door dat elk van de stappen die ik had ontdekt, een soort mentale *bedrijvigheid* inhield. Of het nou het gevoel van luisteren door mijn voetzolen was of misschien het onder woorden brengen van wat ik zag, elke stap was een weloverwogen mentale daad die de vluchtige gedachtenstroom tegenhield, met resultaten die zo zeker zijn alsof ik mijn hand op de vanzelf heen en weer zwaaiende helmstok van een boot had gelegd. Ik kreeg de indruk dat het resultaat niet het gevolg was van *wat* ik met mijn gedachten deed, maar van het feit dat ik in ieder geval iets deed. Maar deze bezigheid verschilde net zo veel van mijn gebruikelijke pogingen mijn gedachten te beheersen als het varen van een schip verschilt van de poging het te duwen. Dus ik begon me af te vragen of er misschien niet eens zo erg veel stappen waren die ik moest ontdekken op de juiste plaats, maar slechts één die werkelijk van belang was. En deze bood wellicht een derde mogelijkheid om mijn aandacht te leiden... Ik moest mijn gedachten niet in een bepaalde richting dwingen en ze evenmin laten afdwalen. Ik moest heel eenvoudig een innerlijke stap nemen en aan de kant gaan staan en toekijken. Dit was een toestand waarbij mijn wil politieagent speelde voor het gedrang van mijn gedachten, met als taak daar te staan en toe te zien dat de weg werd vrijgehouden voor wat er wilde passeren. Waarom had niemand me verteld dat het de taak van de wil is aan de kant te staan, te wachten en niet aan te dringen?

(ibid.)

Dit leidde ertoe dat zij begreep dat je op twee totaal verschillende manieren oplettend kunt zijn. De alledaagse manier waarop zij alleen maar die dingen zag die haarzelf aangingen, en waaruit zij dan kon kiezen wat aan haar eisen van het moment beantwoordde, waarbij de rest werd genegeerd. De andere manier was het tonen van een brede belangstelling zonder bepaald doel:

En dan, omdat men geen wensen had, bestond ook de noodzaak niet een bepaald onderwerp te kiezen en dat voorrang te verlenen boven een ander onderwerp. Dat maakt het mogelijk het geheel ineens te bezien.

(ibid.)

Deze tweede manier bracht 'een tevredenheid die verder reikte dan het gebied van persoonlijke zorg en verlangen':

(ibid)

Het van de ene kant naar de andere gaan, vergde slechts een kortstondig inzetten van de wil en toch scheen dit voldoende om het aangezicht van de wereld te veranderen, om verveling en lusteloosheid te doen opbloeien tot onmetelijke tevredenheid.

(ibid.)

Misschien dat deze twee manieren van oplettendheid, de enge en de wijde blik, ook uitdrukken wat Irina Tweedie heeft te zeggen – dat we geboren worden met twee bedoelingen, voort te bestaan en te vereren.

Marion bemerkte dat er onmiddellijk antwoord kwam, een versterking van wat zij waarnam, als zij geen verwachtingen en geen wensen had:

Ik merkte dat ik naar een verwelkte cyclaam zat te staren en herinnerde me toevallig dat ik in mezelf had gezegd: 'Ik verlang niets'. Terstond werd ik dusdanig bedolven onder het karmozijnrood van de bloemblaadjes dat ik meende niet eerder ervaren te hebben wat kleur eigenlijk was.

Ik voelde dat ik werd geleefd door iets buiten mezelf, iets dat ik kon vertrouwen, iets dat beter dan ikzelf wist waar ik naar toe ging. Ik had me wel eens druk gemaakt over de vraag of je een doel moest hebben in het leven, of je maar rustig moest laten meevoeren; nu wist ik zeker dat geen van beide juist was, maar dat je de zaken geduldig en oplettend over je moet laten komen, en dat je moet toezien hoe je wordt geleefd door iets dat 'anders' is. Ik had stellig ontdekt dat er iets was – niet het zelf in de gewone betekenis van het woord 'zelf' – dat een leidende kracht kon zijn in het leven; maar ik dacht dat het onbeschaamd was dit god te noemen.

(ibid.)

In het begin van haar studie fysiologie kon zij niet anders dan de conclusie trekken dat er meer in de geest was dan louter rede en loze gedachten:

Want was er niet eveneens de wijsheid die mijn lichaam in de loop der jaren vanuit één enkele cel een eigen aanzien gaf? Dat gebeurde bepaald onbewust, mijn wil had daar niet de hand in. En toch kon ik mij niet losmaken van de gedachte dat het in zekere zin de geest was; niets van wat ik ooit had gehoord omtrent chemie kon mij doen geloven dat zo'n karwei tot stand werd gebracht als resultaat van een toevallige combinatie van moleculen.

Eternity's Sunrise

Zij raakte er hoe langer hoe meer van overtuigd dat er in haar een Verantwoordelijke Werkzaamheid was, zoals zij dat noemde:

De prijs voor het kunnen vinden van dit 'andere' als een levende wijsheid in mijzelf, was dat ik er niets van moest verlangen; ik moest mij tot dat 'andere' wenden met volkomen aanvaarding van wat is, zonder verwachtingen, niets willen veranderen; en pas toen ontving ik die verlichte stralen die van het grootste belang bleken voor het vormgeven aan mijn leven.

An Experiment in Leisure

Zij vroeg zich af wat die eerste fase nou precies was in het proces van zo'n beleving – een vraag die velen van ons bezighoudt:

Is het af en toe het gevoel dat de wereld erg ver weg is, dat ik er eigenlijk niets mee te maken heb? Of perioden dat je niets kunt vinden dat enig houvast biedt, als een spanrups die zijn voorste helft als een razende heen en weer zwaait in de lucht, op zoek naar een twijg die er niet is? Dat klinkt als een gevoel van verloren zijn dat op de een of andere manier gecompenseerd moet worden. Maar is het wellicht ook nog iets anders? De drang om een andere manier te vinden om de zaken te bekijken, een soort onbehaaglijkheid alsof je een jas aan hebt die te klein is geworden, een gewaarzijn dat een of andere gangbare manier om de wereld te bezien, niet meer in zwang is; niet meer bruikbaar is en tot een beperkend cliché is geworden?

(ibid.)

Vaak twijfelde zij aan haar eigen ontdekkingen:

Toch kon het niet slechts één factor zijn die de scheppende afhankelijkheid, de scheppende overgave ten opzichte van de Verantwoordelijke Werkzaamheid blokkeerde, niet alleen maar de vrees voor afhankelijkheid met de daaraan verbonden risico's, maar ook de steeds opkomende twijfel of er inderdaad wel iets is dat houvast biedt... Het probleem is dat men zo dikwijls iets heeft om in te geloven en dat het nietig, leeg, een leemte blijkt te zijn als men het nodig heeft. Maar nee, er is toch die zee van onze ademhaling. En het gevoel van ons gewicht.

(ibid.)

Zij kwam tot de slotsom dat zij er volledig vertrouwen in moest hebben, of ze het nou de onbekende factor noemde ofwel de kracht waardoor zij leefde:

Als ik ook maar even in de greep van de angst kwam, speciaal met betrekking tot mijn werk, als ik een golf van minderwaardigheid voelde opkomen uit vrees dat ik nooit het goede zou bereiken waar ik naar streefde, probeerde ik het met een rituele opoffering van al mijn plannen en gezwoeg. In plaats van me nog meer in te spannen, waartoe ik mij altijd gedwongen voelde als de dingen moeilijk werden, zei ik: 'Ik ben niets, ik weet niets, ik wens niets', en met een vluchtig gebaar wiste ik alle gevoel van mijn eigen bestaan uit. Ik was zo verbaasd door het resultaat dat ik het de eerste paar keren niet kon geloven; niet alleen verdwenen al mijn angsten en voelde ik me rustig en onbezorgd, maar bovendien begon mijn geest na korte tijd – soms al na een paar minuten – helemaal vanzelf nuttige denkbeelden voort te brengen met betrekking tot het probleem waar ik mee worstelde. Met dit in mijn achterhoofd nam ik als gewoonte aan – en ik merkte dat het, hoewel niet altijd, toch heel vaak succes had – om als ik mij bewust was van de mogelijkheid te kiezen waarover ik wilde nadenken (en dat was alleen maar tijdens steeds terugkerende momenten gedurende de dag; tussen de perioden dat ik niet gericht dacht, zonder bewustheid), alle pogingen tot denken te stoppen, en te zeggen: 'Ik laat het aan u over.'

(ibid.)

Dergelijke ontdekkingen leidden ertoe dat zij op een boeddhistische manier – zo kun je dat wel noemen – inzag dat het zelf altijd deel uitmaakt van het leven, onderling verbonden is met alles wat bestaat, en dat je het niet kunt beschouwen als een afzonderlijke, op zichzelf staande entiteit:

Dat gevoel geen identiteit te hebben, kan men erkennen en aanvaarden: in plaats van blindelings te trachten die leegte te vullen met een foto van een geliefde, of met bezittingen, of met kinderen, kan men die leegte erkennen en er op de een of andere wijze in gaan geloven. En uit die onaangename ervaring dat ons ik werd geleefd door iets dat niet ons ik was, komt dan een nieuwe schepping voort, de ontwikkeling van vormen van begrijpen.

(ibid.)

Daarom moeten bepaalde karakters:

Op gezette tijden door het Dal van Verootmoediging gaan, moeten zij opzettelijk het gevoel van de eigen identiteit loslaten, zij moeten zich bewust in bezit laten nemen en laten voeden door het opdoen van ervaring als ze tenminste werkelijke geestelijke groei willen bewerkstelligen.

(ibid.)

Zij had het gevoel dat ze haar hele leven onafgebroken had getracht dicht bij dat 'andere' te komen, bij alles dat niet haar

49

zelf was, maar dat haar zoeken toch bij voortduring werd gehinderd door haar eigen denkbeelden daaromtrent; haar tegengestelde begrippen over liefde en verschrikking. En ze begon in te zien dat het tot uitdrukking brengen van haar ontdekkingen in een of andere scheppende vorm tevens de erkenning daarvan inhield.

Ik zag nu hoe dat betekende dat je opwellingen en stemmingen in een uiterlijke vorm liet kristalliseren; niet in doelbewuste daden die door een of ander uiterlijk doel worden bepaald, maar krachtdadige actie die door een innerlijke visie wordt ingegeven – en dat is het punt van groei. En zonder dat punt blijft het subjectieve karakter stilstaan en ook door eigen egoïsme omhuld. Die sprong in het diepe was de onontkoombare toestand van zuivere expressie, de bereidheid te erkennen dat het moment van leegte en dofheid juist het ogenblik van beginnende vruchtbaarheid was, het ogenblik dat de onzichtbare innerlijke krachten van node hadden om hun werk te doen.

(ibid.)

Op deze manier:

Was er iets in mij dat doorging met het karwei van leven zonder mijn voortdurende bemoeizucht. En zodra ik contact had gekregen met de bron van mijn leven, deed geloof of twijfel totaal niet ter zake; net zoals je niet *gelooft* dat het gezond is een appel te eten, het *is* gezond.

(ibid.)

TWYLAH NITSCH

Pas gedurende de laatste paar jaar is het westen zich bewust geworden van de diep religieuze gevoelens van de Indianen en hun opvattingen omtrent het bestaan. Tot het nieuwe tijdperk van spiritueel onderzoek dat in de vijftiger jaren begon en zich nog steeds uitbreidt, wist en begreep men weinig van hen. Nu is er evenwel, met de ontdekking van een rijke, nieuwe kijk op de geest en op de natuur, een geheel nieuwe literatuur ontstaan.

Twylah Nitsch is een Bewaarder van de Traditie van de Wolvenstam, een van de acht stammen van de Seneca's die deel uitmaken van de grote Irokese confederatie. In vroeger tijden was elke stam een zetel van onderwijs waar vele Indianen, zowel mannen als vrouwen (de Indiaanse traditie heeft nooit enig onderscheid gemaakt), kwamen om kennis te vergaren en andere zaken te leren. De Schildpadstam onderwees omtrent zeden en gewoonten, de Wolf gaf uitleg over de verbondenheid met de aarde, de Beer over broederliefde, de Bever over samenwerking, de Havik over vooruitziendheid, het Hert over lichamelijke gezondheid, de Reiger over voeding en de Snip onderwees zelfdiscipline. Al deze vormen van onderwijs behelsden verschillende oefeningen en manieren om inzicht te verkrijgen. Door het pad van verbondenheid met de aarde was de Wolvenstam betrokken bij alle andere stammen en door Twylah's lessen wordt het aloude geestelijke pad van de Indiaan duidelijk gemaakt. Zij noemt haar leerstelling 'Het binnentreden van de stilte'.

Het ware Seneca-gevoel had te maken met de mysteries van moeder aarde. Iets over haar geheimen te weten komen, betekende iets over onszelf leren:

Zelfkennis was de sleutel
Zelfinzicht was de wens
Zelfdiscipline was het pad
Zelverwerkelijking was het doel

Entering into the Silence

Men voelde dat de betekenis van het bestaan in de hele natuur werd aangetoond. De mensen merkten dat de natuur een rol speelde in de doodgewone dingen en dat moesten ze ook leren zien, evenals het feit dat alles in het universum zich ontwikkelde vanwege die natuurlijke hoedanigheden.

'Er was een onderlinge afhankelijkheid en totale verwantschap met alle dingen. Alles wat men hoorde, zag, voelde en intuïtief aanroerde, behoorde toe aan een machtig wezen waar alle dingen een integrerend deel van uitmaakten. Deze tegenwoordigheid was onvernietigbaar, maar tevens een gemeenschappelijke werkelijkheid door de schepping heen.'

De Seneca's leerden zelfdiscipline te verkrijgen door in harmonie met de vrede en de rust van de natuur te leven. Zij liepen langzaam, spraken zachtjes, en legden een natuurlijke rust aan de dag. Deze rust moest men aanleren en dat was een bewijs van volmaakte harmonie van de geest, denken en lichaam. Als men dit beheerste, kon men in zijn eigen omgeving harmonisch functioneren.

Behalve de rust van de natuur, bood moeder aarde vele symbolische voorbeelden waarvan sommige wel vorm hadden... de cirkel bijvoorbeeld – de zon, de maan, het water en de aarde.

Voor de aloude Seneca's was het leven van grote betekenis. Het was de openbaring van de levenskracht van het grote mysterie ofwel de grote geest. Dit kwam tot uitdrukking door onze gezondheid, door de geest, door het denken en door het lichaam. Alle Indianen geloofden dat het spirituele wezen volmaakt was; een toestand van volmaaktheid, op elk vlak van het bestaan geheel in harmonie met de natuur. Het doel in het leven was van nature aanwezige mogelijkheden te ontwikkelen en die gaven te delen met anderen.

Language of the Trees

Men krijgt het gevoel dat dit een les is die indruk maakt en waarin de nadruk wordt gelegd op onderlinge verhoudingen en harmonie. Als je een Seneca bent, kun je je bij iedereen in je omgeving op je gemak voelen, en weet je ook dat je een noodzakelijk en integrerend deel uitmaakt van het geheel. De integratie kwam dan ook tot uitdrukking in de harmonie van de hele persoon. Alles wat je op je pad vond, was van belang en had met jezelf te maken, zelfs de kleine steentjes op straat konden je de waarheid vertellen als je maar de moeite nam ze goed en met genoeg ontzag te bekijken. Op deze manier was het leven nooit onverschillig of zinloos.

'Kijk naar de sporen op de steen. De dingen hebben ons iets te zeggen. Zo hebben de Indianen heel vroeger ook al geleefd. Alle dingen om ons heen zeggen iets.'

Twylah benadrukt de les van de Seneca's dat iedereen een 'beginnersplaats' heeft, een cirkel in de geest waarbinnen men leeft en groeit.

'Het is van belang dat we in het leven allemaal onze cirkel in de geest vormen en dat we ook binnen die cirkel blijven, want dat is onze gewijde ruimte. Als we in deze aardse sfeer komen, nemen we gewijde ruimte in beslag. We hebben al onze gaven binnen onze gewijde ruimte en naar evenredigheid van wat we weten, maken we gebruik van die gaven. We hebben de alleenheerschappij over onze gewijde ruimte en als we die niet in ere houden, kunnen we de mogelijkheden ook niet optimaal benutten. We kunnen onze gewijde ruimte op ieder gewenst moment binnengaan. We kunnen op pad zijn en ons concentreren. Het is de bedoeling altijd geconcentreerd te zijn en alles te allen tijde door ons denken en door onze gevoelens, het centrum van ons lichaam – te laten komen wat daar dan ook maar door wil komen. Dan zijn we daar ook mee verbonden, het is een ononderbroken verbinding. Wij noemen dat de vibrerende verbinding.

Voordat we geboren worden, stellen we vast wat onze lessen zullen inhouden. Daarom hebben we, elke keer dat we weer op de aarde komen, een speciale opdracht en we blijven hier tot die opdracht is uitgevoerd en dan gaan we weer. We kiezen onze ouders, we kiezen zelfs onze naam...

Vanuit deze gewijde ruimte ontwikkelden we onze gewijde gezichtspunten. Als Indianen iets eren, houden ze de linkerhand op de buik en de rechterhand rust op de linkerhand. Op deze manier eren we alles wat uit het oneindige komt. Als we ons openstellen, openen we ons centrum. We vouwen onze handen in het midden. We strekken onze handen naar voren en we betuigen eer met beide armen opgeheven. Dan komen we weer omlaag om de procedure om te keren en brengen onze handen terug op onze buik, zoals we begonnen. Als we dit iedere dag deden, konden we ons te allen tijde beter concentreren.

Het binnentreden van de stilte is een term die wij gebruiken. Het betekent in nauw contact staan met de natuur in geest, denken en lichaam. De sfeer van de natuur straalt het spirituele wezen van de opperste macht uit en verschaft het intuïtieve pad dat eens de Seneca's de grote stilte liet binnentreden.

De hand met gestrekte vingers en duim is de gave die door de oneindige geest tot uitdrukking wordt gebracht... De duim helpt de vingers in de levensstadia, eenheid, gelijkheid en eeuwigheid, net zoals het grote mysterie alle dingen bijstaat in de schepping. De duim vertegenwoordigt volmaaktheid van geest, denken en lichaam. Vanwege de vier vingers werd het cijfer 'vier' de basis voor totale volkomenheid. Vijf vertegenwoordigde het scheppende wezen zoals men dat in de hand van de mens ziet.

De toepassing draaide om geesteshoudingen en gedachten die een gevoel van verwantschap met de hele schepping opriepen. Het binnentreden van de stilte moest eerbiedig en zonder aanwezigheid van anderen gebeuren, als een persoonlijke daad met onze eigen gedachten, en direct verbonden met de schepper. Er waren geen priesters of geestelijken om onze voortgang te leiden tijdens het binnentreden van de stilte.'

De kennis werd Twylah doorgegeven door haar grootvader, Moses Shongo, de laatste van de grote medicijnmannen van de Seneca Indianen. Zij waren de filosofen en leraren van de eens zo machtige Irokese confederatie. Een medicijnman is iemand die veel meer te betekenen heeft dan iemand die alleen maar alles van kruiden weet. Hij ontvangt 'geneeskundige krachten' en is te allen tijde gebonden aan de principes van eendracht en samenwerking van alle vormen van leven, van het liefhebben en achten van alles wat is. De grote Rarihokivats geloofden, zoals Twylah uitlegde: 'Als je eenvoudig zegt: "Ik maak deel uit van het universum", dan kun je je op een bepaald moment terugtrekken uit dat universum en je eigen afzonderlijke zaakje opzetten. Aan de andere kant, als het universum een deel van ons is, en niet zomaar een stukje dat verwijderd kan worden, maar een deel waar we afhankelijk van zijn, dan kunnen we ons niet losmaken, niet terugtrekken'.

En zo was de Indiaan, zich bewust van goed en kwaad, ervan overtuigd dat het hele bestaan kon worden beïnvloed door zijn eigen staat van volmaaktheid, in het bijzonder door een aanvaardende houding ten opzichte van het onbekende. Hij probeerde niet te heersen over de natuur, maar hij geloofde dat hij door de natuur gekoesterd kon worden als hij haar leerde begrijpen.

'Wij mensen geloven dat onze plaats (gewijde ruimte van zijn) bij elke openbaring past... We zien in dat ons bestaan volledig wordt ondersteund door de planten, dieren, vogels, vissen, gesteenten, aarde en de beginselen van het universum. Vanwege dit geloof kunnen we onszelf niet afzonderen'.

Twylah ontvangt bij haar thuis in Buffalo, aan het Erie-meer, veel bezoekers van over de hele wereld die op zoek zijn naar een manier van leven. Zij wijst hun wegen om de stilte binnen te treden:

'We lopen op de weg van de vrede en die heeft zeven stenen om een stap op te zetten. En elk van die stenen heeft zeven kanten. En die zeven kanten van elke steen zijn gehoor, gezicht, reuk, smaak, tastzin, gemoedsbeweging en gewaar-zijn. De eerste steen is vertrouwen en die heeft een rode kleur. Toen we aan onze aardse wandeling begonnen, hadden we het vertrouwen dat het bloed in ons lichaam niet vergoten zou worden. Als we het bloed bekijken, is dat rood. En dus denken we en geloven we en willen we ook dat dit bloed, deze rode krachtige vloeistof, in ons is. En we weten dat ons lichaam het zal bevatten. Dus dat gevoel van vertrouwen zit van binnen.

De volgende steen is liefde. We kijken naar de zon en die is geel. Als de zon ons lichaam beroert, voelen we de warmte, en ach ja, dat is liefde. Het is het meest heerlijke gevoel om die liefde helemaal door je lichaam te laten stromen. De liefde helpt ons de zon in de ogen te kijken, en de liefde te zien die

55

anderen voelen. En dat helpt ons weer liefde uit te wisselen.

Terwijl we het pad van de vrede verder aflopen, komen we bij de derde steen en die heeft de kleur blauw van de intuïtie. Die steen is zo blauw als het blauwste water dat we ooit gezien hebben en als we ervan drinken, lest het onze dorst naar de lessen die we van binnenuit willen leren.

Vervolgens lopen we naar de volgende steen op het pad van de vrede en die steen is groen. Hij vertegenwoordigt het leven en als we die kleur goed in ons opnemen, weten we dat vruchtbaarheid en vernieuwing ons deel zullen zijn. De bomen en het gebladerte vertegenwoordigen dat levende groen, de kleur van vernieuwing, de kleur van de bestendiging van het leven.

Dan kijken we naar de vijfde steen op het pad van de vrede. We kijken naar onze handen, de kleur is roze. Roze betekent scheppende kracht. Onze handen vormen het gereedschap waarmee we, bij onze verschillende werkzaamheden, kunnen maken wat we maar willen. De vingers vertegenwoordigen leven, overeenstemming, gelijkheid voor de eeuwigheid. Als we onze handen uitstrekken, raken we elkaar aan in vrede.

Dan kijken we naar de volgende steen op het pad van de vrede. Die is wit en vertegenwoordigt reinheid. Dat is de steen van het magnetisme, de aantrekkingskracht als we in liefde geven of delen. Dat magnetische gevoel zorgt dat we op aarde kunnen lopen en in de geest kunnen groeien.

De zevende steen is violet. Die noemen we de regenboog van vrede omdat deze alle stenen op het pad van de vrede omvat. En als we onder de regenboog van vrede door lopen, voelen we de bescherming en we voelen de ontwikkeling en de eerbied die we tot uitdrukking kunnen brengen. Zo is het leven prachtig en biedt ons de gaven van de schoonheid die ons volmaaktheid brengen.

Wanneer er ook maar iets gebeurt, kunnen we terugvallen op een van de waarheden die overeenkomen met de zeven stenen om stappen te zetten op het pad van de vrede. Het leven wordt rijk. Gezinnen worden een eenheid en we voelen ons met de aarde verbonden als één lichaam, één hart, één geest en één ziel.

Maar toch doen zich ook dingen voor die niet in dit

prachtige concept passen. Dat doet wel eens pijn. Soms moeten we erom lachen. Het gebeurt ook wel dat we iets vergeten, of we worden boos, teleurgesteld, en uiteindelijk beseffen we dan dat we met negatieve energieën te maken hebben. Hoe moeten we daarmee omgaan? Waarom bestaan ze?

Deze vragen en de antwoorden daarop liggen in de vibrerende kern, het centrum van volmaaktheid dat in ons leeft. Zonder dat zouden we niet kunnen groeien. We zouden zelfs niet kunnen bestaan. Deze vibrerende kern verbindt ons met alle andere entiteiten. De voortbrengselen van de schepping, de bomen, de mensen, de zon, de maan, de hemel, de aarde – alle dingen in de wereld van de lucht, in de wereld van de zon, alle dingen in de wereld van de maan, in de wereld van de aarde, staan door deze vibrerende verwantschap in verbinding met elkaar. Als we op een moeilijk begaanbare weg komen, kunnen we houvast zoeken bij de stenen op het pad naar de vrede'.

Twylah vertelt hoe een Seneca een eigen steen gebruikt als hulpmiddel om te trachten de geestelijke dimensie te bereiken die zich ver voorbij de materiële wereld bevindt.

'De steen werd vastgehouden, door de handen omsloten. Als de steen warm werd en je een trilling voelde, werd de rest van de wereld daardoor buitengesloten en konden de Seneca's naar de innerlijke stilte luisteren. Het gevolg was dat ze rustig werden, de hartslag werd langzamer en de ademhaling dieper als deze zich vermengden met de vloed van de intuïtieve stroom. Die stroom was voor ieder mens anders. Soms zag deze een kleur, soms een wolk en soms helemaal niets, maar voelde hij iets. Hij moest zich vrij voelen van het lichaam om de staat van het intuïtieve ik te bereiken.

De Seneca's geloofden dat het lichaam gedurende die stille communicatie helende en verheffende stadia doormaakte. De beloning voor het binnentreden van de stilte was een gevoel van welzijn, en meer zelfkennis. Als men vrede had met zichzelf en in harmonie leefde met de omgeving werd elke volgende belevenis daardoor versterkt.'

Ik luister en hoor de stilte
Ik luister en zie de stilte
Ik luister en voel de stilte
Ik luister en ruik de stilte
Ik luister en omarm de stilte

Language of the Trees

Je moet het binnentreden van de stilte oprecht wensen, zegt zij. Angst is de meest vreselijke ervaring en bijna elke hindernis draagt een spoor van angst in zich. Als je angst evenwel ziet als een zegen, kan dat de pijn helen en de geest vrijmaken om positief te handelen.

'Het gevoel van voldaanheid wordt weerspiegeld in onze ademhaling. De gelijkmatige hartslag meet de energiestroom die we uitstralen. Alles in onze omgeving zendt zijn eigen energie uit. Er is harmonie in de ademhaling. Als we met deze harmonie ademhalen, kunnen we ons behaaglijk voelen.'

Om de stilte binnen te treden, adviseert Twylah ons elke keer van dezelfde comfortabele plaats gebruik te maken, en als je dan ver van deze eigen plaats verwijderd bent, kun je trachten je die plek voor de geest te halen en die rustige concentratie weer te vinden.

'Als de voorbereidingen zijn getroffen, trekken we ons terug in onze ademhaling. Word je bij elke ademhaling bewust van het bewegen van het lichaam. Erken een opkomende gedachte als zodanig en laat die ook weer verder gaan. Al spoedig brengt slechts de ademhaling – in en uit – het gevoel van volkomen welbehagen in beweging. *Voel je zo vrij als het licht.* Het hangt van de persoon af hoelang deze ervaring duurt. Wij geloven dat het binnentreden van de stilte ook het waarlijk beleven van die grote stilte inhoudt. En gedurende die periode van stille communicatie doen zich openbaringen voor.'

Twylah leert haar volgelingen een vertrouwelijke band te scheppen met het leven in de natuur door bomen naar waarde te schatten. Zij doet dat door meditatie en door dansen en zingen.

'Bomen strekken hun takken uit in de richting van alle andere levende wezens, niet als een gesloten groep, maar vanwege het feit dat ze tot vele verschillende families behoren en zodoende over de hele wereld ontelbaar· veel levens beroeren. Op de een of andere manier is de functie van bomen van vitaal belang voor de bestendiging van iedere levensvorm. Bomen zijn gevoelig voor alle mogelijke invloeden, speciaal door hun voorbeeld, dat kunnen we zien bij de aloude Seneca's en andere Irokese volkeren. Voor hen drukten bomen persoonlijkheden uit en daarom worden de grote leiders Grote Bomen genoemd als teken van eer en onkreukbaarheid. Deze mensen kwamen tezamen en pleegden overleg onder bepaalde bomen omdat de geestkracht hen van wijsheid voorzag waardoor zij de juiste beslissing konden nemen ten gunste van hun volk.

De Indianen zochten nauwkeurig de bomen uit die hun beschuttende bomen werden. Die speciale bomen weerspiegelden hun persoonlijkheid. De eerste boom was de middelpuntboom. Vanaf deze boom koos men twaalf aanvullende bomen om zo de gewijde cirkel van geneeskrachtige bomen te voltooien. Nadat je het bos bent ingelopen om een persoonlijke boom uit te zoeken, krijg je al gauw een sterk gevoel van veiligheid. Dit komt niet in één dag tot stand. Het vergt tijd je met elke boom intiem te onderhouden en slechts door 'overgave' aan de geestelijke essentie die wordt opgeroepen, kun je de juiste keuze maken. Hierin ligt het gevoel van veiligheid...

Elke boom kan een middelpuntboom zijn. Het persoonlijke contact verschaft dat gevoel van veiligheid in verhouding tot de aardse harmonie. Als je je in tijd van nood te midden van je persoonlijke bomen bevindt of een persoonlijke boom opzoekt, kun je reiken naar een innerlijke kracht waarin door invloeden van buitenaf niet wordt voorzien. We voelen ons allemaal aangetrokken tot bomen en vragen ons af waar die scheppende energie vandaan komt. De ouderen onder de Seneca's zeiden: ''Als we onze ogen openen, zien we verder dan onszelf. Als we onze oren openen, horen we verder dan onszelf. Als we ons hieraan overgeven, groeit ons zelfbewustzijn'''.

Als je Twylah opzoekt – en zij is hartelijk en gastvrij tegenover iedereen – word je wellicht betrokken bij een ceremonie, bijvoorbeeld een inwijding. Bij dergelijke gelegenheden vormen de aanwezigen een cirkel. Er is een jongen die

59

dan elk mens dat wordt ingewijd, bij de hand neemt en hem of haar rondleidt buiten de cirkel, waar het niveau van de fysieke wereld zich bevindt. Vervolgens bewegen ze zich in het rond binnen de cirkel en dat is de plaats van het innerlijke leven. Degene die de inwijding ondergaat, wordt vervolgens voorgesteld aan vier mensen. Zij zijn de bewaarders van de vier windrichtingen – noord, zuid, oost en west – en elk van de vier legt de subtiele betekenis van die bepaalde richting uit. Tenslotte geeft Twylah, die in het midden zit, de ingewijde een naam – van een bloem, een plant, een kruid, of misschien van een dier of een vogel – en ze zal dan het advies geven te mediteren over de hoedanigheden van het gekozene, tot de ingewijde en dat object één worden.

Dergelijke ceremonieën kunnen roerende plechtigheden zijn. Er mag geen melding van worden gemaakt, maar het vele dansen en zingen zijn vreugdevolle gelegenheden waar iedereen aan mag deelnemen. Het is een aloud gebruik en een aansporing tot gewaarzijn en tot het in ere houden van de gaven van de natuur die het leven op onze planeet mogelijk maken. De gezangen worden gezongen in de taal van de Seneca's, maar als regel wordt er een verhaal verteld of uitleg gegeven in het Engels, zoals het lied over de vier windstreken. Twylah vertelt het als volgt:

'Lang voordat wij het contact verloren met onze broeders en zusters kwamen alle gevleugelden, tweebenigen, vierbenigen en de schepselen zonder benen tezamen om van de vrede te zingen. De 'vier winden' luisterden en boden aan, deze liederen over de wereld uit te dragen zodat iedereen ze kon horen en ervan kon genieten. De zuidenwind sprak over vertrouwen; de oostenwind sprak over inspiratie; de noordenwind sprak over kennis en de westenwind sprak over innerlijkweten. En toen men deze gezangen eenstemmig zong, heelde de harmonie allen die luisterden. En als we nu, in deze tijd, innerlijk luisteren, kunnen we dezelfde gezangen horen omdat ze nog steeds veel verbreid zijn onder degenen die op moeder aarde zijn afgestemd'.

TONI PACKER

Toni Packer is iemand die geen pasklare antwoorden heeft. Haar 'weg' houdt in dat zij, samen met haar leerlingen, de diepgewortelde basis van hun vragen en zoeken tracht te ontdekken. Zij vindt de stijl van de grote Krishnamurti het meest duidelijke en onbelemmerde pad om daarin te slagen. Hij adviseerde 'gewaarzijn zonder voorkeur', dat is het vermogen zich bewust te zijn van het nu, *precies zoals dat is*, zonder te proberen er alleen maar datgene uit te kiezen waar we ons gewaar van willen zijn. Maar noch Krishnamurti (hij is overleden) noch Toni is van mening dat zijn invloed op haar die van een meester of zelfs van een leraar was, omdat zich verdiepen in de waarheid een oefening is, en er geen les in gegeven kan worden. Het is een oefening die je te allen tijde en overal kunt doen. Toni heeft een rustig en mooi centrum waar je in retraite kunt gaan, maar zij wil niet dat je spreekt van leerlingen en docente.

'Zo zie ik de samenhang hier niet. Ik zie mezelf of anderen niet op die manier, dat zou het doel voorbij schieten. Je kunt zeggen dat er een klas is en dat houdt in dat er ook een docent is – ik heb een microfoon en houd een praatje – maar kun je je voorstellen dat zo'n klas herinneringen, gedachten inhoudt, denkbeelden omtrent wat je je herinnert uit het verleden – en misschien hebben die nu wel een andere betekenis. Het valt niet te ontkennen dat 'deze persoon hier' iedere dag een lezing houdt en dat mensen elkaar ontmoeten in deze ruimte, en dat het inderdaad deze persoon is, en niemand anders, die de samenkomsten organiseert. Dat zijn allemaal feiten. Maar kun je die feiten wel zo simpel mogelijk houden zonder er een pagode overheen te bouwen?

Deze persoon spreekt niet om discipelen of leerlingen te krijgen; ook niet om een dogma of systeem of geloof of denkbeelden over te dragen – maar om dat alles te *onderzoeken*, samen, openlijk, als vrienden, en vrij van de ongelooflijke last van bestaande voorstellingen'.

Wat bedoelt Toni precies met onderzoeken? Is het wat

Krishnamurti bedoelde met 'zijn, zonder de littekens van op elkaar gestapelde ervaringen'? De zaken onbevooroordeeld bezien, ieder voor zichzelf, zonder bepaald doel? Toni zegt dat dit beslist de basis is van het ware gewaarzijn.

'Begin je in te zien dat het werkelijk zinvol is contact te maken met wat in de geest en in het lichaam bovenkomt? Dat je dit zowel in het leven van alledag als in afzondering moet doen, en dat het zeker beter is dan het ontwikkelen van efficiënte methodes om alles te onderdrukken? Als je contact hebt met een emotie, betekent dat niet dat je dit moet voelen op een manier alsof je er vrij van bent. Die emotie is van belang omdat die er is en die moet je niet gebruiken als middel tot bevrijding, progressie, een methode tot vooruitgang.

Laten we de toestand van angst bekijken. Je kunt je voorstellen dat de angst toeneemt naarmate je er verder over nadenkt; terwijl het blijven bij dat zeer onbehaaglijke gevoel dat we angst noemen, er volledig bij blijven – en ons niet laten afschrikken door het feit dat het onbehaaglijk is, maar onderzoeken wat dit onbehagen in werkelijkheid is – geen ruimte laat om er verder over te denken, of te hopen dat die angst uiteindelijk zal afnemen. Het gaat niet om het resultaat, maar om het feit zelf. Wat is dat toch, waar ik al mijn hele leven mee bezig ben en waar ik voor wegloop, of wat ik tracht lam te leggen?

Je moet evenwel ook niet denken dat het goed is te lijden, of dat het misschien inherent is aan de aard van de mens. Het zijn allemaal uitvluchten voor het feit dat we lijden. Kunnen we contact maken met dat lijden zonder dat het enig effect heeft op de geest? Zoals voeling hebben met iets dat er is, de regen en de vogels, de lucht en de wolken, de mensen, andere gevoelens in het lichaam – gewoon zoals het is, zonder te trachten uit te vinden hoe het is? Als we denken te weten hoe het is, dan hebben we contact met onze gedachten en niet met de werkelijkheid.

Als je denkt dat je weet wat angst is, wat regen is, vogels zijn, mensen, dan heb je voeling met fantasie, denkbeelden, gedachten, indrukken. Maar als je niet weet wat dat onbehaaglijke gevoel in de zonnevlecht is – of waar de problemen dan ook zitten, misschien wel overal – en je weet te leven met het onbehagen zoals het is, concentreer je je ook niet meer op de zaken. Er is dan geen enkele gedachte die zegt, oh het is hier, of daar. Er is geen plaats voor zulke gedachten als je volledig contact hebt met wat er is. En dat noemen we gewaarzijn. Zonder dat zelf als middelpunt dat overal iets voor zichzelf uit wil halen.

Als je zo'n proces als angst helemaal hebt doorgemaakt – het begin, het *gedijen* ervan overal in het lichaam, en er is geen kans tot loslaten, tot ontvluchten, geen ontsnapping, geen verflauwing, geen ontspanning, geen vermindering van die middelpuntgerichte aandacht om zich op iets anders te richten, als je er werkelijk bij bent gebleven – dan is het toch een verbazingwekkend feit dat je dat gevoel waarschijnlijk heel snel herkent als het een volgende keer opkomt. De gedachte, de eerste tekenen van die angst in ons lichaam, opkomende woede – mogelijk is bij een eerste herkenning de hele zaak weer afgedaan. Niet door geconcentreerd te zijn op het gevoel, of dat te onderdrukken of te bestrijden, maar door het te *herkennen* – je ziet de hele toestand als een grote gedetailleerde landkaart breeduit voor je. Het verdwijnt net zo vlug als het opkwam. Hopelijk. Je moet er niet op rekenen'.

Evenals Krishnamurti kwam Toni tot de ontdekking dat het zoeken naar de waarheid gemakkelijker is zonder enige religieuze achtergrond. Krishnamurti scheurde zich los van de Theosofische Vereniging en van de verwachting van die vereniging dat hij een nieuwe Messias zou zijn, en daardoor ontdekte hij zijn 'padloze land'. Toni las zijn werken en terwijl zij daarmee bezig was, begon haar eigen religieuze wereld van het zenboeddhisme steeds beperkter en gekunstelder te worden.

'Het begrijpen van de koanstudie en het opmerken van een zekere rust van de hersenen, wat zich steeds vaker voordeed, in plaats van de dwingende behoefte overal op te reageren – was goed en leidde tot grotere stabiliteit, concentratie en wat dies meer zij. En al die tijd dat dit proces zich voltrok, was er die toenemende vereenzelviging met de traditie – een traditie die nooit aan zichzelf twijfelt. Toen ik Krishnamurti las en hem hoorde spreken, merkte ik dat er volstrekt geen emoties waren zoals dankbaarheid tegenover de leraar en alle leraren die hem

63

op zijn gebied voorgingen, maar volgens het zenboeddhisme hoor je die emoties wel te hebben. Ik besefte hoeveel van dat soort dingen er eigenlijk waren en hoe moeilijk het was om dat los te laten, niet omdat ik eraan vast wilde houden, maar omdat ik het gevoel had erin verstrikt te zijn'.

Uiteindelijk maakte Toni zich los van het beoefenen van zen en dat ging, net als bij Krishnamurti toen hij de theosofen vaarwel zei, niet zonder enige pijn. Ze had zich enige jaren zeer tot zen aangetrokken gevoeld en werd beschouwd als de opvolgster van haar leraar, Kapleau Roshi, met alle verantwoordelijkheden die deze positie meebracht.

Toen ging ze op weg in haar eigen padloze land. Ze vestigde een centrum in New York State, daarna nog een en gedurende de laatste vijf jaar heeft zij steeds meer mensen van alle leeftijden tot zich getrokken om haar retraites en discussies bij te wonen.

Wat is de essentie van haar 'boodschap' (bijna elk woord dat men hier gebruikt, wekt wantrouwen omdat het wordt omsloten door opvattingen en voorstellingen)? Misschien dit: dat we in feite slechts, door ons van de zaken gewaar te worden – dingen, mensen, gedachten, gevoelens – *direct en onmiddellijk*, zonder tussenkomst van voorstelling of denkbeeld, beschouwd kunnen worden als wezens die inderdaad leven. En dat slechts directe kennis op deze manier de mens, en als die kennis zich verspreidt de hele wereld, uiteindelijk harmonie en geluk kan brengen.

'We zijn allemaal mensen die menselijke problemen navorsen, problemen die een hinderpaal vormen voor een gezonde en vreedzame samenleving met een diepgaand begrijpen en liefde en mededogen. We zeggen niet dat we elkaar in de toekomst liefhebbend en met mededogen moeten bejegenen, maar laten we dan wel de obstakels onder ogen zien die beletten dat we nu zo kunnen leven.

Over de hele wereld zijn veel mensen die lichamelijk lijden en ziek zijn. Hoe kunnen we daar aandacht aan schenken zonder er iets uit te halen? Kunnen we de vraag stellen of dat lijden ook een eigenaar heeft? Als ik nou eens niet zeg 'ik heb het' of 'ik wil ervan af', wat is het dan? En vervolgens – stilte! Laat wat er ook is, eenvoudig *zijn*, niet beïnvloed door al onze geërfde, aloude, aangeleerde, opeengestapelde zienswijzen. Als we dat inzien, is lijden niet iets dat op zichzelf staat – is er niets dat op zichzelf staat tenzij we het catalogiseren en er een etiket opplakken, om er dan op te reageren met 'ik vind dat prettig' of 'ik vind dat niet prettig'. Als de werkzaamheid van de hersenen – die catalogiseert, namen geeft, iets prettig of niet prettig vindt – tot rust kan komen, dan zal er misschien een wereld ontstaan van dingen die zijn zoals ze zijn, en waarmee we nooit contact hebben kunnen maken omdat we vreselijk in beslag werden genomen door het innerlijke proces van weten en reageren. Zelfs het lichaam zegt nee tegen lijden. Kan dat nee in het licht van het gewaarzijn komen? En als het in het licht van het gewaarzijn komt, merken we dan wel op dat dit nee niet hetzelfde doet als wanneer we het zouden negeren, onbewust? Het is geen automatisme meer – het komt tot leven als iets dat zich op dit moment afspeelt, erkent wat er is, innerlijk en uiterlijk, en zich vervolgens openbaart en tot bloei komt'.

Het begrip lijden is Toni niet vreemd. Zij is Duitse van geboorte en groeide op in Leipzig. Hoewel zij zich perioden uit haar jeugd herinnert van geweldige groei en openheid, veranderde dat maar al te gauw in verbazing en vroeg zij zich in grote wanhoop af wat er allemaal gebeurde in de wereld.

'Ik was het kind van een joodse moeder en we waren gedurende de oorlog enorm bang voor het concentratiekamp, om in een bombardement terecht te komen, en op transport gesteld te worden. We zijn aan de concentratiekampen ontsnapt omdat mijn vader een functie had die door zijn bijzonder aardige werkgever van belang werd geacht, en door zijn tussenkomst werd mijn moeder niet door de Gestapo naar een concentratiekamp gestuurd. En zo werden we dus met rust gelaten, maar toch was er altijd die angst dat ze iets zouden fingeren waarvoor ze ons konden oppakken. Onze ouders waakten zeer zorgzaam over ons, maar we snakten naar een paar vrienden die dezelfde gevoelens hadden en met wie we konden praten. En als je je dan 's avonds herinnerde wat er allemaal was gezegd, dacht je 'oh, mijn hemel, als ze dat nou eens aan hun ouders vertellen die ons dan aangeven bij de Gestapo, wat dan'? En dan waren we ook nog enorm bang voor de luchtaanvallen – dat alles smolt samen tot een geweldig gevoel van neerslachtigheid om een volslagen zinloos leven – daar kwam de vraag uit voort wat eigenlijk de zin van dit leven is, en dat wilde ik dan ook werkelijk uitvinden om orde op zaken te stellen.

Krishnamurti spreekt over het verstand dat orde op zaken wil stellen – en ja, dat is juist. In het begin heb ik een heleboel eenvoudige filosofie gelezen. Vervolgens dacht ik dat ik via de psychologie wellicht orde op zaken kon stellen in deze chaos en langs die lijn zette ik mijn onderzoek voort. Ik was niet op zoek naar verlichting, ik wilde alleen weten wat er mis is met de wereld. Ik zag het uiteraard niet als hopeloos, anders zou die vraag niet zo levendig voor mij zijn geweest. Ik wilde weten wat de zin van het leven was. Dat was de drijfveer achter alle studie en al het lezen.

Dit alles leidde tot een studie psychologie in Amerika en alle onderwerpen die ter sprake kwamen, boeiden mij. De meeste belangstelling had ik eigenlijk voor antropologie door het feit dat het patroon van de mannelijke en de vrouwelijke rol, het rollenpatroon, wordt doorbroken; en ook de studie omtrent waarden en stelsels was uitermate boeiend en bevrijdend. Daar bleek wel uit dat in termen van organiseren en een rol op zich nemen, bij de mens eigenlijk alles mogelijk is.

De vraag bleef mij bezighouden en spoorde mij aan erachter te komen en alles wat ik bestudeerde en las, was nuttig. Ik ben het nooit helemaal met Krishnamurti eens geweest als hij zei dat kennis steeds maar toeneemt, een last wordt. Ik vond juist dat leren en studeren mij in staat stelde onjuiste denkbeelden te laten vallen – zo kon ik een heleboel verkeerde informatie laten schieten'.

Toni ontmoette haar echtgenoot, een Amerikaan, na de oorlog in Duitsland. Vanwege haar joodse afkomst had ze niet mogen studeren en hij was degene die haar aanmoedigde naar de universiteit te gaan en haar onderzoek voort te zetten.

Bij de meesten van ons doet zich in het leven wel een of ander diepzinnig en dringend probleem voor dat nooit helemaal schijnt te verdwijnen, hoewel zo'n probleem jaren lang latent aanwezig kan zijn. Toni's probleem omtrent de zin van het leven deed haar uiteindelijk inzien dat je die zin niet kunt vinden zolang je nog in verwarring wordt gebracht door voorstellingen en woorden.

'Misschien dat je zo nu en dan die strijd van innerlijke beelden wel hebt gadegeslagen: je wilt een goede moeder zijn, maar je wilt je ook wel eens afzonderen. Je hebt schuldgevoelens als moeder en schuldgevoelens als je niet vaak genoeg in retraite gaat. En zo is er dan die innerlijke strijd die zich uit in prikkelbaarheid. Ook in onderlinge verhoudingen is er spanning; twee mensen die onder één dak leven, hebben zich een voorstelling gemaakt van zichzelf en van de ander, en dit leidt onvermijdelijk tot tegenstrijdigheden. Wie overheerst wie? De één voelt zich gemanipuleerd en moet zo nodig de ander manipuleren omdat hij of zij van mening is ook gemanipuleerd te zijn.

Let er zelf maar eens op. Je zult verbazingwekkende dingen ontdekken die in je hoofd omgaan en zich bijgevolg door het hele lichaam verspreiden. Alles wat in je hoofd omgaat, iedere gedachte, werkt door op het hele organisme – elektrisch, neurochemisch. Eén aangename gedachte brengt een vlaag van prettig voelen. En als je dat wilt vasthouden, komt de volgende gedachte – ''Hoe kan ik dat vasthouden''? En als het over is, ''Hoe komt het nou dat het weg is''? ''Hoe krijg ik dat gevoel weer terug''?

Het arme lichaam moet hier altijd op reageren. Het genot is nog niet eens helemaal verdwenen en daar is het leed alweer. Het lichaam is niet zo soepel. Het fysieke organisme heeft even tijd nodig om weer in evenwicht te komen. Ik weet niet eens of ons lichaam nog wel weet wat evenwicht eigenlijk is. Er blijft zoveel residu achter en niet alleen in het lichaam, maar uiteraard ook in de hersenen.

We hebben een uitgebreide mentale boekhouding en onthouden precies wat hij of zij vanmorgen tegen ons zei, of gisteren, verleden jaar, soms wel tien of vijftien jaar geleden. ''Dat vergeet ik niet'', zeggen we dan, en dat betekent dat een relatie met die persoon onmogelijk is. Hij of zij is gebrandmerkt, afgekeurd. Als we hem/haar tegenkomen, zien we dat beeld voor ons van wat hij of zij deed. Onze reactie wordt ons ingegeven door dat beeld, het overheerst ons. Maar als we inzicht hebben in het hele proces en begrijpen wat er gebeurt, is dat inzicht alleen al genoeg om het te belemmeren. Niettemin gaat het maken van voorstellingen gewoon door omdat we het nou eenmaal leuk vinden. We leven in en voor de dingen die we ons voorstellen, zelfs als ze pijnlijk zijn, omdat we vinden dat we ergens voor moeten leven.

Is er iemand die dit betwijfelt? Voor zover we onze eigen geest – zoals die functioneert in voorstellingen, in blokkades, in tegenstellingen en strijd – goed kennen, kunnen we de hele menselijke geest goed begrijpen, omdat er geen fundamenteel verschil is tussen de ene mens en de andere. Oppervlakkig gezien zijn we allemaal anders, maar van oorsprong vindt ieder van ons dat hij of zij een zelf is, iemand is.

Het schijnt bovenmatig moeilijk te zijn, in te zien dat dit een denkbeeld, een schepping van het denken is. Dit beeld van onszelf is zo werkelijk dat we dat zelf als feit aanvaarden. Men verwart het dan met het lichaam en de op gang zijnde gedachteprocessen, de gewaarwordingen en emoties. Maar dit alles heeft geen eigenaar.

Als je zegt "dit ben ik" en je daar ook een voorstelling van maakt – "*ik ben* hier goed in", "*ik ben* daar niet goed in" – is dat een mentale constructie, een stel gedachten en denkbeelden zoals alle andere gedachten en denkbeelden, een deel van die gedachtenstroom die de hersenen uitstorten. Maar het is een feit dat het "dit ben ik" de basis is van al onze individuele intermenselijke problemen en ook van de internationale problemen.

En dus kunnen we ons afvragen wie die ik eigenlijk is. Als dat gevoel van "ik ben iets" opkomt, moeten we dat ogenblikkelijk en duidelijk waarnemen. Wat leidt tot dat gevoel, wat leidt tot die overtuiging? En we moeten luisteren, en innerlijk kijken naar dat scherm van binnen en zien wat zich daar afspeelt dat mij dat gevoel geeft dat ik iemand ben die last heeft van – laten we zeggen – afgunst. Dan is er ook nog de taal, de manier waarop we tegen onszelf zeggen "ik ben jaloers", "ik mag niet jaloers zijn". De taal scheidt de bezitter, de ik van zijn eigenschappen. We denken in woorden en het valt ons wellicht op dat we met onszelf monologen houden over onszelf, en dat het altijd over iemand gaat die goede eigenschappen heeft, begaafd is en kracht toont. En in dat denkproces – denken dat "ik" die karaktertrekken heb, de gedachte, het begrip, het beeld daarvan – zou je zelfs een beeld van jezelf kunnen hebben als van iemand die afgunstig is. Maakt dat enig verschil met de afgunst op zich? Wat is die afgunst die je voelt? Dat zijn ook gedachten, woorden, innerlijke uitroepen en dialogen – "jij mag mijn zoon, mijn echtgenoot, mijn minnaar niet hebben" – er kan van binnen zelfs wel een toneelstukje, een drama aan de gang zijn.

Het is hetzelfde soort denkproces dat die "ik", die eigenaar, laat bestaan. We zien dat dit altijd het gevolg is, deze logische stroom van gedachten en denkbeelden en gevoelens, waarvan sommige zeggen "ik ben jaloers", en andere weer "zij pikt waarachtig mijn minnaar in en dat vind ik niet leuk" – het zijn allemaal gedachten, woorden en gevoelens, en in het geval van dat "ik" niet anders dan in het geval van de gevoelens. Er bestaat geen "ik" los van het denkproces.

De mens voelt vaak een enorme angst bij de gedachte dat er helemaal geen wezenlijk "ik", geen zelf bestaat als er geen "ik" kan zijn dat losstaat van gedachten en gevoelens. Maar dat is slechts een gedachte. En het overkomt mensen heel vaak dat er – bijvoorbeeld tijdens een retraite – een toestand van leegte is. De geest is dan leeg, zonder gedachten en in die toestand is er geen angst, want angst houdt verband met gedachten. Maar dan opeens kan die gedachte pijlsnel opkomen en misschien niet eens worden opgemerkt, "er is niets aan de hand, ik ben hier niet". En dan komt de angst en men denkt "ik heb angst voor die toestand", die een zinsbegoocheling is. Er valt niets te vrezen van de toestand van ikloosheid, zonder verdeeldheid.

In die toestand is er licht en vreugde. Maar als je er later over nadenkt, komen er wellicht vreselijke gedachten naar boven zoals "misschien verdwijn ik wel, wellicht verlies ik wat mij zo dierbaar is, ik moet misschien mijn gezin verlaten, mijn werk opgeven, doodgaan" – al die gedachten brengen een lawine van angstige emoties voort en de volgende keer dat zich weer iets dergelijks voordoet, is er een herinnering aan iets dat gevaarlijk is.

Men vraagt mij wel eens of deze angsten kunnen veranderen in vreugde als men ze uit een andere hoek bekjkt. Maar

69

angsten veranderen niet in vreugde omdat de angsten er helemaal niet zijn als je ze uit een andere hoek wilt bekijken. Er is dan alleen maar die andere manier van bekijken. En daarin is geen angst te bekennen omdat er niemand is om angst te hebben. Die vreugde ontstaat door de liefde, de glans van de liefde, het aangroeien van die liefde wanneer die benauwde en alles verterende ik-vorm er niet is.

Maar dit is niet hetzelfde als "één worden met het universum", een uitdrukking die zo dikwijls wordt gebruikt omdat ook dat een dualiteit is – er is een één en er is een universum. Toen ik het boeddhisme bestudeerde, had ik al direct in het begin het gevoel dat dit niet klopte – dat geloof dat je één moet worden met alles. Je kunt het wel bereiken. Je kunt leren één te zijn met allerlei bezigheden, planken afstoffen of de afwas doen, maar daarin schuilt wel een beeld van mij dat één is met die bezigheden. Dat is een toestand van dualiteit waarin gedachte en voorstelling beide aan de orde zijn. Als je het op de juiste manier beziet, is dat niet waar. Er is niemand om ook maar iets bij elkaar te brengen.

Neem bijvoorbeeld kijken. Hoe kijken we naar een vogel, of een bloem? Speuren de hersenen het geheugen af om erachter te komen welk etiket of welk niet vergeten beeld erbij past? En plaatsen die hersenen dan tijdens dat proces – voor het geval zij vinden wat bij de vogel of de bloem past, welke naam en welke voorstelling – dat herkende beeld op de voorgrond? Als dat zo is, verdienen we niet dat ons onmiddellijk duidelijk wordt wat we zien – de vogel of de bloem of de persoon die we tegenkomen. Is het dan zo dat we ons, overeenkomstig ons geheugen, aanpassen omdat we dat altijd al gedaan hebben? Overeenkomstig met wat we al kennen en waar we dan op reageren? Of kunnen we mogelijkerwijs, ongeacht met *wie* of *waarmee* we contact hebben, zonder geheugen iets herkennen – een vriend, een kennis, iemand die een vijandige houding lijkt aan te nemen, of bloemen, de zee, een mening, wolken of vogels?

Het is wel duidelijk dat de hersenen over een of andere manier beschikken om gewaarwordingen neurologisch te ordenen. Maar zelfs om waar te nemen is enige fundamentele ervaring en herinnering noodzakelijk. Maar ik bedoel eigenlijk de herinnering die ons aanspoort met een of ander soort vooroordeel te reageren en niet af te wijken van aantrekking of afwijzing. Kunnen we elkaar ontmoeten of tegenover de bloem, de vogel of de nieuwe dag komen te staan zonder dat zich een zeker iets daarin mengt? En als er iets uit het verleden omhoog komt, weten we dan ook dat dit ons geheugen is? En laten we ons daar niet door leiden, niet door meeslepen, niet door beperken? Zien we dat verleden en vragen we ons dan af of we het wel *nodig* hebben als bemiddelaar? Of is er misschien een energie van ontmoeten, van luisteren en kijken, die het feit dat we menen te weten wat hij, zij of het is, kan uitschakelen? Dit alleen kan een snel tot stand komende verwantschap bevorderen die universeel en niet veeleisend is. En dat betekent niet dat we nu maar iedereen moeten uitnodigen om te komen eten of mee op reis te gaan – we hebben nog steeds onze voorkeur. Maar we moeten ons bewust zijn op welke basis we met anderen omgaan – wellicht gemeenschappelijke belangen of dezelfde belevenissen. En toch komen we bij elkaar en gaan met elkaar praten alsof het de eerste keer is. Dat is zelfs geen verwantschap meer. Wie is verwant aan wie? Het is een samenzijn'.

Het deelnemen aan een van Toni's retraites, is het binnengaan in rust en stilte. Er wordt de retraitanten niets opgedragen. Er zijn bepaalde periodes dat je rustig zit in de houding die je verkiest, op een matje of op een stoel. En er zijn bepaalde tijden om met Toni te praten, maar dit gebeurt allemaal uit vrije wil. Gedurende een retraite houdt zij iedere dag een praatje. En, zegt zij, er is tijdens elke retraite altijd een of ander geluid dat sterk overheerst – de vogels of de jonge kikkers in de vijver, de wind of de regen.

'Kunnen we naar dat zachte windje luisteren zonder het ook een zacht windje te noemen? Als we met elkaar praten, moeten we woorden gebruiken om samen te kunnen luisteren, maar dat luisteren zijn niet de woorden. Dat luisteren betekent openheid ten opzichte van het onbekende.

Als we luisteren, kunnen we ons ook afvragen of er een aparte luisteraar is? Iemand die afgescheiden van de wind en de heen en weer zwiepende takken luistert? Het is wel duidelijk dat hier iemand zit te luisteren, en dat die heen en weer zwiepende takken buiten zijn. Dat valt niet te ontkennen. Zelf zijn we op het ogenblik geen zwiepende tak, maar een gehoororgaan. Maar als we niet denken ''ik moet luisteren'', ''ik moet openstaan'', of misschien ''hij luistert beter dan ik'', of ''ik doe het wel goed – of niet goed'', als die gedachten tot rust komen en we ons niet langer afvragen of we het goed of niet goed doen – ergens bedreven in zijn of niet – als we geen enkele gedachte aan onszelf wijden, maar alleen openstaan en luisteren, dan kan het zijn dat we geluiden horen die eigenlijk geen geluiden zijn. We kunnen het woord geluiden niet gebruiken om dit te beschrijven. En waar is dan dat afgescheidene? Er is alleen maar:

''Ssssh''.

''Luister''!

Er is in dat luisteren geen scheiding tussen degene die luistert en de geluiden, en er is ook geen scheiding tussen de verschillende mensen die luisteren. Dat zijn gedachten, denkbeelden. Er is een – sssh! Dat is een feit.

En al die mensen in retraite, dat is ook een feit. Maar dat luisteren als er geen gedachte is van ''ik luister, ik hoor'', als die gedachte er niet meer is, dan hebben we ook niet meer het gevoel dat we afzonderlijk van elkaar luisteren. Kunnen we dat helemaal aanvoelen? Kunnen we gewaar zijn als het brein een vereerde persoon vormt en zien we dan nog wel hoe onbelangrijk dat is ten opzichte van het contact met wat werkelijk is?

Hoe dikwijls is er niet dat op zichzelf geconcentreerde gevoel, dat enge, die bekrompenheid en het verstijven van alle zintuigen, geconcentreerd op wat men wil horen en zien enzovoort. En dan begint het gewaarzijn te dagen en dat zet zich voort. Je merkt dan dat dit het einde is van de bekrompenheid en dat het zelf zich opent – net als naar het strand gaan en de zee zien die geen grenzen heeft'.

ANANDAMAYI MA

In 1896 werd bij een hindoestaans brahmaans gezin een meisje geboren dat later een van India's grootste heiligen zou worden. Nirmala Sundari werd geboren twee jaar nadat haar oudere zusje overleed en zij werd dus met bijzonder veel vreugde verwelkomd. Zij was het oudste kind van een groot gezin. Maar haar vader, die zeer religieus was en niet mocht werken omdat zijn priesterlijke kaste dat niet toestond, had maar een heel klein inkomen uit de opbrengst van een klein stukje land. Nirmala's moeder zorgde wel dat geen van de kinderen honger leed, maar Nirmala's ontwikkeling had wel te lijden. Er was net genoeg geld voor een gebroken lei die ze op school kon gebruiken en heel vaak moest ze de lessen verzuimen omdat er thuis geholpen moest worden. Uitcindelijk ging ze van school af en kon ze maar een heel klein beetje schrijven. Toen ze ouder was, tekende ze een stip als haar werd gevraagd haar handtekening in een boek te zetten. 'Hierin is alles samengevat', zei ze. Zij las nooit boeken en evenmin als de ongeletterde Ramakrishna, geloofde zij dat werkelijke wijsheid afhankelijk was van het geschreven woord.

Zij was een open, geestdriftig kind. Ze sprak dikwijls tegen planten en onzichtbare wezens, en ze was zo vrolijk dat ze de bijnaam kreeg 'de moeder van de glimlach'. Ze zong graag samen met haar vader en nadat ze een groep christelijke zendelingen tijdens hun bezoek had gehoord, begon ze ook hun gezangen te zingen en daar genoot ze heel erg van. Bij moslims voelde ze zich net zo thuis, want in Oost-Bengalen (nu Bangladesh) waar zij werd geboren, hadden zich hoofdzakelijk moslims gevestigd, en toen Nirmala opgroeide, was de roep van de imam net zo vertrouwd voor haar als de religieuze gezangen van de hindoes.

Die achtergrond maakte dat zij haar leven lang zeer tolerant was ten opzichte van alle mogelijke religies en zij bleef dan ook zeggen dat er slechts Eén was. 'Dat is hij en nog eens hij en hij alleen'. Zij was er zeer duidelijk over dat alle dingen dat onuitsprekelijke Eén zijn, zwaar vermomd weliswaar. En dus, omdat alle dingen verschijningen van god zijn, is alles kostbaar, moeten we overal naar luisteren en alles respecteren – en in werkelijkheid is er niets verkeerd. Elk mens, of zelfs dier, moet zijn of haar best doen en het beste betekent gewoon wat op een bepaald moment nodig is: 'Wat gedaan kan worden, is dat wat passend is'. Zij beschouwde het als een verheven principe nooit iemand te beschuldigen, nooit te zeggen dat iemand ongelijk had. Zoals gebruikelijk was in de hindoese samenleving, werd zij op haar dertiende jaar uitgehuwelijkt, hoewel zij pas bij haar bruidegom, Bholanath, ging wonen toen zij achttien jaar was. Maar op de sensitieve leeftijd van veertien jaar moest ze al bij zijn familie intrekken en daar werd ze voorbereid op haar toekomstige huishoudelijke taken. Vrolijk nam ze de meeste huishoudelijke karweitjes op zich en zo maakte zij zich geliefd bij haar nieuwe familie. In 1914 vertrok zij naar Bholanath, in een ander deel van Oost-Bengalen. Haar man had daar werk gevonden bij het ministerie waar de verdeling van het land werd geregeld. Dat was het begin van hun leven tezamen.

De status van een vrouw was zeer laag in het India van die tijd. Het grote Indische heldendicht, de Ramayana, vergelijkt de verhouding van een vrouw tot haar echtgenoot met die van een schaduw tot een werkelijkheid. Men verwachtte van een vrouw dat ze onderdanig was en dat zij haar echtgenoot beschouwde als een god die bediend moest worden. En dus was Bholanath zeer verbaasd toen hij Nirmala benaderde voor de lichamelijke vervulling van het huwelijk en hij een soort heftige elektrische schok kreeg! Eerst dacht hij dat dit kwam omdat zij eigenlijk nog een kind was en zij zou dus nog wel veranderen. Maar toen ging hij zich toch realiseren dat er iets zeer ongewoons aan Nirmala was en hij ondernam geen pogingen haar ooit nog te benaderen. Hij leefde verder ook celibatair en toonde uitzonderlijke nederigheid en goedheid door zo'n onconventioneel huwelijk te accepteren. Nirmala was zonder twijfel spiritueel zijn meerdere en in feite werd zij later zijn goeroe. Maar toch nam ze tegelijkertijd, in het begin tenminste, de traditionele rol van gehoorzame echtgenote aan en dat maakte zijn plaats in het huwelijk ingewikkeld en bijna ongehoord.

Terwijl Nirmala, hoewel zij getrouwd was, nog een jong meisje was, raakte zij vaak in vervoering. In het westen zou men dat als abnormaal beschouwen, maar in India was het heel gewoon. Zij kon dan uren achtereen lachen en dansen – zelfs toen zij al over de vijftig was, danste ze op feestdagen nog voor de goden. De mensen kwamen naar de jonge vrouw kijken als ze in de ban van *samadhi* was. En als ze volkomen bewegingloos op haar tenen stond, haar lichaam achterover gebogen terwijl haar lange haar tot op de grond hing, beschouwde men het als een daad van aanbidding om naar haar te kijken. Richard Lannoy, die haar in haar latere leven leert kennen, benadrukt dat haar gedrag – 'schijnbaar chaotisch en irrationeel' – in feite deel uitmaakte van het traditionele patroon van de goeroe en dat haar optreden tijdens haar leven geleidelijk veranderde en zeer formeel werd.

Lannoy ziet een centraal punt in haar leven als een 'inwijding' (zelf bewerkstelligd, want zij heeft nooit een meester gehad):

'Naar het schijnt liep zij met haar echtgenoot, Bholanath, door het bos. Plotseling raakte ze in extase, was helemaal in vervoering en in een soort trance. Zij trok een cirkel op de grond, liep er drie keer omheen en ging vervolgens in het midden zitten. Ze sprak magische formules en op de een of andere eigenaardige manier gingen haar armen diep in de aarde. ''Het was een mysterieus gevoel alsof de ene laag na de andere van de massieve grond onder mij verdween'', zei ze, ''zoals het bewegen van gordijnen, en mijn hand en arm verdwenen, zonder tegenstand te ondervinden, tot mijn schouder in de aarde''. Er kwam rood water omhoog uit het gat, en toen zij opstond en zich verwonderde over deze mysterieuze, plotselinge uitbarsting van het ''heilige'', had zij het gevoel dat de ene sluier na de andere werd weggenomen. Daarna stelde ze vast dat er een *vedi*, een altaar, over die plek heen gebouwd moest worden. Ze gaf zeer nauwkeurige instructies en zo werd de *vedi* op een podium gebouwd met een open ruimte daaronder, precies op de plaats waar zij had gezeten. Vervolgens werd de *ashram* rondom de *vedi* gebouwd. Ze ging wel eens in dat hol liggen en krulde zich dan op in een embryonale houding. Dat leek eigenaardig omdat het maar een klein holletje was, maar zij kreeg het toch voor elkaar daar opgekruld in te gaan liggen. En dan raakte ze in een toestand van gelukzaligheid. Haar eerste volgeling die haar daar in die toestand zag, verklaarde: "Nirmala zal voortaan Anandamayi (gedrenkt in gelukzaligheid) heten". De gebeurtenis was het keerpunt in haar leven; het was een zelf-inwijding. Vanaf die tijd kon de enthousiaste en lyrische jonge vrouw samenhangend kennis doorgeven.

De gebeurtenis wordt wordt symbolisch verbonden met de terugkeer naar de baarmoeder, volmaakte gelijkheid met de ongesluierde, zachte, vochtige moeder aarde en wedergeboorte tot een nieuwe vorm van zijn. De aarde heeft Sri Anandamayi's lichaam opgeëist en het gaat ook op in die aarde. In die toestand van verrukking wordt geen onderscheid gemaakt tussen symbool en betekenis. Zij ziet slechts de fysieke vloeistof in het gat, niet een symbool dat kunstig door mensen is gemaakt, maar een symbool dat te midden van natuurlijke voorwerpen werd uitgekozen.

Door het ongerijmde, tegenstrijdige element in haar geestesgesteldheid stond de jonge vrouw open voor de invloed van het leven; dat had tot gevolg dat zij door het contact met een vreemd, mysterieus, onbekend element volkomen veranderde. Maar veranderde waarin? Zij heeft eens gezegd: "Als er een ik-bewustzijn in mij was, kon ik tot uitdrukking brengen wie ik ben. Maar dat is er niet, dus ben ik wat anderen verkiezen te zeggen over mij"'.

Het is interessant te overdenken waaruit eigenlijk blijkt dat iemand zo'n verheven persoonlijkheid is. Anandamayi Ma was in feite evenzeer een praktisch ingestelde vrouw met heel wat gezond verstand, maar ook met grote heiligheid. De adviezen die zij haar volgelingen gaf, waren altijd onmiddellijk bruikbaar. Toen iemand uit het westen haar vroeg: 'Als alles god is, ben ik dan ook god?', antwoordde zij: 'Nee, niet jij, jij als zodanig bent niet god – maar dat wat is, is god'. Op een andere vraag, 'Is alles in gods handen'?, antwoordde ze: 'Bedenk altijd dat alles in gods handen is, en wij zijn de werktuigen die door hem worden gebruikt als hem dat behaagt. Tracht de betekenis te begrijpen van "alles is van hem" en je zult je onmiddellijk behaaglijk en verlicht voelen.

Wat is het gevolg als je je overgeeft aan hem? Niets zal meer vreemd lijken, alles zal helemaal alleen jou zijn, jouw zelf.

Er zijn overigens vele wijzen die goede raad kunnen geven en slechts enkelen waar je voor buigt omdat je onmiddellijk de goddelijke hoedanigheid herkent. En hoe kwam nou die bijzondere, unieke toestand van zijn tot uiting? Een Engelse vrouw die zelf nooit met Anandamayi Ma heeft gesproken, maar vlak bij haar zat, zei: 'Ik voelde dat zij naar mij keek, in mij, door mij heen, en die blik omvatte alles wat mij betrof. Ik voelde dat ze mij zo volkomen liefhad dat ik nooit meer dezelfde kon zijn. Hoewel ik haar maar een paar keer heb gezien, ben ik dat gevoel nooit kwijtgeraakt en haar tegenwoordigheid is altijd om mij heen. Zij was iemand die haar kijk op het leven en op de werkelijkheid zodanig kon overdragen dat ik, sinds ik haar heb ontmoet, weet dat er harmonie is en dat er een plan bestaat in het universum'.

Een Duitse vrouw die nogal sceptisch was ten opzichte van goeroes en heiligen, gaf zich gewonnen toen een vriendin haar dringend verzocht mee te gaan naar Anandamayi Ma. Zij schreef in haar dagboek:

Ongeveer vijftien mensen zaten tegelijk met mij te wachten. Toen het begon te schemeren werden we naar een daktuin gebracht. Toen Mataji (beminde moeder) even later verscheen, was ik niet vrij te beslissen of het al of niet tegen mijn overtuiging was te knielen voor een mens. 'Het' wierp mij eenvoudigweg op de knieën. Wat ik de volgende paar seconden meemaakte, kan ik onmogelijk vertellen aan iemand die niet iets dergelijks heeft ervaren. Ik kan alleen wat uiterlijke dingen vertellen en in metaforen spreken. Stel je eens voor dat er heel bedaard een boom - een prachtige, sterke, oude beuk bijvoorbeeld - naar je toe komt. Wat voor gevoel zou je krijgen? 'Ben ik gek geworden'?, zou je je afvragen. Uiteindelijk zou je moeten toegeven dat je een nieuwe dimensie van werkelijkheid bent binnengegaan waarvan je tot nu toe geen benul had. Dat was precies de toestand waarin ik verkeerde.

Later ging Mataji op een bank zitten die voor haar was klaargezet, en onderhield zich met de mensen. Het vreemde, verbijsterende element van haar wezen trad op de achter-grond, maar er was geen moment dat het helemaal verdween. Je kon je best doen er niet aan te denken en dan was ze gewoon een vrouw, gekleed in een witte sari - ik schatte dat zij ongeveer vijftig jaar was - wier haar los over haar schouders viel. Elegant en tegelijkertijd energiek nam zij deel aan een levendige conversatie. Af en toe barstte ze in lachen uit en even later leek ze geheel in gedachten verzonken, in een of andere diepe contemplatie. Bij tussenpozen keek ze liefhebbend met lichte spot uit haar ooghoeken, en onderwijl besprak ze een of ander theologisch probleem met een gedistingeerde, oude, Europees geklede Indiaan. Op zeker ogenblik verscheen er een oude, haveloos uitziende boerin. Ze was bijna blind en verspreidde een onbeschrijfelijke stank. Zij hurkte op de grond vlak bij Mataji. Deze boog zich diep naar haar toe. Gedurende enkele minuten zaten zij met hun hoofden heel dicht bij elkaar en kon men een zacht gemompel horen. Mataji luisterde met haar hele wezen. Daarin kwam zo'n goedheid tot uiting en dat wees op iets menselijks dat tot volmaaktheid werd gebracht.

Mother as Seen by Her Devotees

Een andere bezoekster zei:

Zij is net een raam zonder luiken, wijd open, waardoor je een glimp kunt opvangen van het oneindige. Zij roept het goddelijke in ons te voorschijn, dat verborgen ligt onder onwaarheden, en zij wekt al het vertrouwen in onze geest, dat die toch volmaakt en compleet is, niet beïnvloed door onze zwakheden en tekortkomingen.

(ibid.)

Haar aantrekkingskracht was zo magnetisch dat de meerder-heid van haar volgelingen waarlijk geloofden dat zij een openbaring van god was en niets wat zij ooit heeft gezegd of gedaan, kon dat geloof te niet doen. Zij had duizenden volgelingen in het noorden van India en er werden vele ashrams voor haar gebouwd.

Douglas Harding, die haar ontmoette, vertelde mij dat de essentie van haar leven en haar leer was 'zorgvol te zijn en zorgeloos te zijn'. Zij was volkomen los van wat er allemaal gebeurde en, zeer tegenstrijdig, was zij er ook geheel en al mee verbonden. En dat is allebei nodig, want als je het ene hebt zonder het andere – pas dan op! Zij was los van de wereld, in die zin dat haar wezen de bron van de wereld was, en zij werd niet beperkt door de voortbrengselen en evenmin was zij erbij betrokken. Innerlijk was zij de vrijheid – dat was een buitengewoon belangrijke helft van de waarheid. De andere helft was juist haar betrokkenheid bij alles. Stel je voor, overal volkomen los van zijn, lucht zijn voor alles, ruimte zijn, dat is *het*. Het is tegenstrijdig, maar als je los van iets bent, ben je ook vrij dat iets te zijn. Zij liet deze paradox zien – los zijn van de wereld, is de wereld zijn. Los zijn van smart, is smart zijn. Er kwam een vrouw bij haar die haar zoon had verloren en zij zaten samen uren te huilen, waarna de vrouw getroost wegging. Tegelijkertijd waren haar lessen volkomen onwrikbaar als het om de essentie van de dingen ging, zeer streng, maar wel heel vriendelijk en edelmoedig omtrent de inspanning die men leverde.

Iedereen die Mataji trachtte in te delen bij een bepaald type persoonlijkheid, werd onmiddellijk geconfronteerd met de paradoxen van haar karakter, want toen zij één werd met de situatie, veranderde zij in het passende antwoord daarop. Hoewel zij soms voor langere tijd haar lichaam scheen te verlaten als zij in extase was, kon zij – tegenstrijdig genoeg – bij een andere gelegenheid zeer bewust meemaken wat er allemaal gaande was. Toen Paramhansa Yogananda haar opzocht, vertelden haar vrouwelijke volgelingen hem:

Een groep van ons reist altijd met haar mee om haar te verzorgen. Wij moeten haar bemoederen; zij slaat geen acht op haar lichaam. Als niemand haar voedsel gaf, zou zij niet eten en er ook niet om vragen. En ook als het maal vóór haar wordt neergezet, raakt zij het niet aan. Om te voorkomen dat zij van de wereld verdwijnt, voeden wij, de discipelen, haar met onze eigen handen. Dikwijls blijft zij dagen achtereen in goddelijke verrukking en ademt dan nauwelijks, terwijl zij ook niet met haar ogen knippert. De goddelijke moeder reist heel wat af in India; in vele delen van het land heeft zij honderden volgelingen. Haar moedige pogingen hebben veel wenselijke maatschappelijke hervormingen teweeggebracht. Hoewel zij een brahmaanse is, erkent de heilige geen onderscheid tussen de kasten.

Autobiography of a Yogi

Toen Yogananda aan Mataji vroeg hem zelf iets over haar leven te vertellen, scheen het hem toe dat haar antwoord de paradoxen oploste: Er is weinig te vertellen. Mijn bewustzijn heeft zich nooit verbonden met dit tijdelijke lichaam. Voordat ik op de aarde kwam, 'was ik dezelfde'. Als klein meisje 'was ik dezelfde'. Ik groeide op tot vrouwelijke rijpheid en nog steeds 'was ik dezelfde'. Toen het gezin waarin ik geboren werd, schikkingen trof om dit lichaam uit te huwelijken, 'was ik dezelfde'... En nu, tegenover u, 'ben ik dezelfde'. Nu en later, als de dans der schepping rondom mij verandert, 'zal ik dezelfde zijn'. Nu en altijd zal ik één zijn met Dat, 'ik ben altijd dezelfde'.

(ibid.)

Misschien voelen we allemaal wel iets van een tijdloze woning in ons hart, een essentiële kern van zijn *die niet verandert*. Dat is wat Mataji zegt en zij schijnt van zichzelf geweten te hebben dat ze volkomen tijdloos was. Zij antwoordde altijd vanuit die geest tot dezelfde geest in een bepaalde situatie. Haar antwoord op vragen – zelfs vragen of de volgeling een huisdier mocht houden, of een schuld moest opeisen, of iemand een proces kon aandoen – waren altijd zowel praktisch als godgericht, nooit het één zonder het ander.

In haar gewaarzijn van de noden in de wereld was zij in het bijzonder liefhebbend ten opzichte van kinderen, oude mensen, dieren en planten. Er was eens een mier die met veel moeite tegen haar gewaad omhoog probeerde te klimmen. Iemand wilde het diertje eraf slaan. Met een uitdrukking van grote tederheid keek Mataji naar het kleine schepseltje en zei:

'Waarom zou je hem wegjagen? Hij klimt omhoog uit liefde'.

Nog opmerkelijker was dat Mataji, tijdens de bouw van de ashram in Benares, plotseling uit haar kamer stoof en rechtstreeks naar een stapel stenen en andere materialen liep, die in een hoek van de binnenplaats lagen opgestapeld. Zij schreeuwde: 'Dit moet hier snel allemaal weg, er verstikken een paar planten daaronder'! Er togen onmiddellijk mensen aan het werk. Na enige tijd werd bekend dat er vijf granaatappelboompjes onder de stenen waren begraven. Mataji verklaarde dat zij hun naar lucht snakkende tegenwoordigheid had aangevoeld.

De goeroe in trance, die geen aandacht schonk aan haar eigen lichaam, was altijd vol zorg als het om het lichaam van anderen ging, speciaal planten omdat zij daar veel van hield. Wat dat betrof, was zij een zeer voortvarende leidster die erop toezag dat al haar opdrachten werden uitgevoerd. Zij hield van elke boom, kruipende plant, heester en bloem, en heel vaak stekte zij planten en streelde ze liefkozend. In Benares kwam ze wel naar buiten om de koeien en kalfjes, die door de plaats zwerven, te begroeten en zij kende ze allemaal. Haar bekwaamheden op het leidende vlak kwamen zeer duidelijk tot uiting als zij terugkwam in Benares van een of andere reis en de keuken en de eetzalen, de ruimte waar gemediteerd werd en de kamers voor de gasten inspecteerde. Ze wilde alles precies weten; hier moest een kleed anders liggen en daar een ander schilderijtje worden opgehangen. Zij informeerde nauwkeurig naar mensen die ziek waren toen zij vertrok en zij bemoedigde degenen die op dat moment ziek waren.

In haar antwoorden op vragen maakte zij vaak gebruik van de overeenkomst met een boom. Er kwamen wel eens mensen bij haar die zeiden dat ze niet wisten hoe ze moesten mediteren, en dat ze eigenlijk ook niet de neiging hadden dat te doen. Ze konden niet veel belangstelling opbrengen voor spirituele zaken, maar de dagelijkse bezigheden hadden ook hun glans verloren. Wat was nou de oplossing? Mataji antwoordde:

Wat dit kleine kind u zou aanraden, is onder een boom te gaan zitten. Met boom bedoel ik een ware heilige. Een heilige is net een boom. Hij roept niemand en hij stuurt ook niemand weg. Hij biedt beschutting voor wie naar hem toekomt, of dat een man, een vrouw, een kind of een dier is. Als je onder een boom zit, beschermt hij je tegen de weersomstandigheden, tegen de verzengende zon en ook tegen de neerstromende regen, en een boom geeft je ook nog bloemen en vruchten. Of er een mens plezier heeft van die boom, of er wellicht een vogel iets uit opeet, kan hem niets schelen; wat hij heeft te bieden is voor iedereen die ervan neemt. En bovendien geeft hij zichzelf. Hoe zichzelf? De vruchten bevatten zaden voor nieuwe bomen van dezelfde soort. Dus als we onder een boom gaan zitten, vinden we beschutting, schaduw, vruchten en te zijner tijd leren we ook ons Zelf kennen.

As the Flower Sheds its Fragrance

Hoewel zij geen training of opleiding had, kwamen er goeroes uit heel India om Mataji eer te bewijzen voor haar wijsheid. Zij was in een dialoog altijd trouw aan haar innerlijke wezen. Iemand vroeg haar wat de beste weg was om tot zelfkennis te komen.

'Alle wegen zijn goed', zei Mataji. 'Het hangt af van de manier van training en van aanleg. Net zoals je naar een bepaalde plaats kunt reizen per vliegtuig, trein, auto of fiets, zijn er net zoveel verschillende manieren om het doel te bereiken als er verschillende soorten mensen zijn'.

'Maar als er slechts Eén is', vroeg de vraagsteller, 'waarom zijn er dan zoveel verschillende religies op de wereld'?

Mataji antwoordde: 'Omdat hij oneindig is, is er een oneindige verscheidenheid in voorstellingen van hem en een eindeloze verscheidenheid in wegen die tot hem leiden. Hij is alles, elk soort van geloof en ook het ongeloof van de atheïst. Hij is in alle vormen en toch is hij vormloos'.

'Ah', zei de vraagsteller, 'uit wat u zegt, krijg ik de indruk dat u vindt dat de vormloze god de waarheid meer benadert dan de god-met-vorm'.

'Is ijs iets anders dan water'? vroeg Mataji. 'Hij is net zoveel in de vorm als hij in het vormloze is. Als je zegt dat er slechts één zelf is en dat alle vormen een zinsbegoocheling zijn, zou dat inhouden dat het vormloze dichter bij de waarheid kwam dan god-met-vorm. Maar dit lichaam verklaart: elke vorm en ook het vormloze is hem en alleen maar hem'.

(ibid.)

Misschien zijn een heleboel goeroes in India het niet met haar eens omdat vorm vaak verachtelijk wordt beschouwd als een hinderpaal voor verlichting, en zij zijn dan ook van mening dat je die vorm voorbij moet gaan om hem vervolgens te vergeten of te veronachtzamen. Maar Mataji blijft trouw aan het getuigenis. Haar vrouwelijke benadering is dat *alles* god is en ook op die manier beschouwd moet worden. Dat heeft zij gemeen met de meesten van de andere mystici in dit boek.

Dezelfde vraagsteller sprak met haar over geluk en daarover zei ze:

'Geluk dat afhankelijk is van iets buiten jezelf, of dat je vrouw is, je kinderen, geld, roem, vrienden, of wat dan ook, houdt geen stand. Maar geluk vinden in hem die overal is, die alles vervult met zijn aanwezigheid – je eigen zelf, dat is het ware geluk'.

'Dus u zegt dat ik mijn zelf moet vinden om het ware geluk te ontdekken'? zei de vraagsteller.

'Ja', antwoordde Mataji. 'Het vinden van je zelf, ontdekken wie je werkelijk bent, betekent god vinden, want buiten hem is er niets'.

(ibid.)

Mataji overleed in 1982. Tegen het einde van haar leven vroeg men haar wat zij het belangrijkste vond.

'Trachten te ontdekken wie ik ben. Trachten te ontdekken wat het lichaam dat ik ken, heeft doen ontstaan. Het zoeken naar god. Maar in de allereerste plaats moet je de wens hebben je zelf te kennen. Als je je zelf vindt, heb je god gevonden; en in het vinden van god vind je je zelf.'

(ibid.)

83

KATHLEEN RAINE

Kathleen Raine spreekt tot ons over een wereld van aloude symbolen, een wereld waarvan velen van ons wellicht nooit gehoord hebben. Zij gelooft dat ieder van ons het volgende in zich draagt: 'een zeker gevoel van iets bekends, een herinnering van iets dat we vergeten waren, een instemming, een zelfverwerkelijking; anamnese, Plato noemde dit de bewustwording van kennis waarvan we niet wisten dat we die bezaten'. Zij gelooft dat die kennis op een ander vlak van de werkelijkheid ligt dan die waarin we leven, en ons leven lang horen we gefluister van de aanwezigheid van die kennis. In momenten van inzicht komt dat tot ons als zuiverheid en schoonheid; geen steriele schoonheid, maar een schoonheid die alles tot uitdrukking brengt wat van de grootste pracht is, alles wat vreugdevol is, alles wat zuiver is.

Plato uit het oude Griekenland was de eerste die het meest werkelijke van de werkelijkheid en het zuiverste van het zuivere omschreef als 'schoonheid' (een term die de hippies uit de zestiger jaren wel bezigden voor iets wat hun goedkeuring wegdroeg). De diepere bezieling van Raine's poëzie houdt in het spirituele te zien als schoonheid en in alles die schoonheid te zien. Zij is een van de grootste dichteressen van onze eeuw.

> Deze noem ik: zwaluw, meidoorn, regen,
> Maar de zin volgt het spoor van zijn vogel
> Snel tussen grijs en groen,
> Een mysterie, door het woord onthuld.

Gedicht zonder titel, Collected Poems, 1935-80

Haar poëzie wordt verlicht door het gevoel dat de enige ware dichtkunst – en trouwens het enige ware leven – wordt bezield door dat wat alles te boven gaat. Dergelijke poëzie geeft de lezer een gevoel van kosmische waarden en verheft hem of haar tot een grotere vrijheid van geest buiten het eigen ik.

Verklaring van het mysterie, hoe zullen we het noemen,
Een geest gehuld in wereld, een door de wereld gemaakte
mens?

'Word Made Flesh', ibid.

Voor Raine bevat alle belangrijke poëzie een alles overtreffend element – en wij kunnen onze ervaringen in het leven vervangen door wat zij over poëzie zegt. Zij vindt dat de huidige waarden niet zijn gebaseerd op intuïtie en op het aanvoelen van het verhevene, maar op de persoonlijkheid en op de wereld. De poëzie die het zelf met al zijn beperkingen als middelpunt heeft, kan in haar ogen nooit de transformerende en verlossende kracht bevatten van die andere poëzie waarin gebruik wordt gemaakt van aloude kosmische symbolen die het alledaagse in goud veranderen en die, net als de archetypen van Jung, in het onbewuste zijn verborgen:

Zij komen, niet als zinnebeeldige voorstelling maar meer als openbaring, ontzagwekkende vluchtige beelden, die ons diep en op een onverklaarbare manier treffen. Het lijkt alsof deze beelden ons in handen worden gegeven als aanwijzingen die ons uitnodigen steeds verder terug te gaan. Wij worden er onweerstaanbaar, alsof het een toverkracht is, door aangetrokken; en dat is eigenlijk in dromen of visioenen hetzelfde als wanneer we die beelden in de natuur tegenkomen. We herkennen ze aan het goddelijke karakter, en we achtervolgen ze niet met nuchtere weetgierigheid tot aan hun mysterieuze bron; maar op een manier zoals we de geliefde persoon volgen, we kunnen niet anders... Ze doen zich voor als levendige impulsen, prikkels van ons eigen wezen en daarom zijn zij onweerstaanbaar. We hebben geen rust voordat we ze gevolgd hebben tot aan de bron, of zover als ons begrip toelaat.

The Land Unknown

Raine had zelf 'in overstelpende mate' zo'n archetypische openbaring.

Het was een visioen van de Boom des Levens, met veel daaraan verwante symbolen die zich plotseling en duidelijk, en tegelijkertijd voor mijn geestesoog manifesteren. Gedurende een hele tijd kon ik mij geestelijk voeden met dat visioen. Ik ontdekte dat ik ernaar kon terugkeren, niet met hetzelfde overstelpende ontzag als de eerste keer, maar duidelijk genoeg en ook wanneer ik maar wilde, om na te denken over aspecten die ik niet eerder had opgemerkt of zelfs was vergeten.

(ibid.)

Raine is ervan overtuigd dat dergelijke symbolen – gouden draden die je moet volgen – er altijd zijn geweest, vanaf het begin van de beschaving. Zij is van mening dat ze werden neergelegd in de belangrijkste literatuur en dat zij een taal vormden die ieder mens moet ontdekken. Maar zij denkt dat veel mensen de noodzaak van het vinden van zo'n taal weigeren te erkennen omdat zij niet geloven in het bestaan van een spirituele orde. Zelf is zij overtuigd dat er zo'n spirituele orde is, en dat die voortkomt uit:

De aloude anima mundi, de ziel van de wereld, wier beelden wij soms met verbazing, wakend of in onze dromen, aanschouwen; zo prachtig en zo vol betekenis verschijnen die... Anderen hebben deze vormen ook weer ontdekt, zoals Wordsworth, belichaamd in berg of waterval, meer of boom; of, zoals Dante, in de schoonheid van een of andere geliefde persoon; een onverklaarbare toverkracht die van binnenuit verlicht. In welke gedaante zij zich ook voordoen, in dromen, een visioen in wakende toestand, in contemplatie, of weerspiegeld in de vormen van de natuur of de kunst, het is kenmerkend voor deze symbolische beelden dat ze werkelijke betekenissen mededelen. Zij betekenen wat ze zijn, ze zijn wat ze betekenen, de belichaming van waarheid en schoonheid tegelijk, omdat ze bezield zijn door de werkelijkheid die wij erkennen als direct en onscheidbaar waarachtig en prachtig; dit kan niet anders omdat het de basis is van ons eigen wezen, tegelijkertijd beantwoordend en vragend ten opzichte van wat wij eveneens zijn en belichamen.

De symbolische beelden komen, naar behoefte, uit de waarneembare wereld, want deze wereld is per definitie en onveranderlijk het 'gegeven', onscheidbaar van onze menselijke aard als vleselijke wezens; alle kennis moet tot die wereld komen in termen van deze wereld van belichaming... Als men werkelijk begrijpt, is de hele wereld één groot symbool dat op een gewijde manier, door uiterlijke en zichtbare tekenen, een innerlijke en geestelijke essentie schenkt.

(ibid.)

Raine ontdekte de rijke taal der alchemie en van de kabbala in haar levensvullende studie van Blake. Maar die taal is misschien niet voor iedereen het pad dat tot verlichting leidt. Het zijn wellicht maar enkele mensen, zoals Raine, die sterk geloven in de kracht van beelden om ons nieuwe gebieden van weten binnen te leiden, en zij baseert veel van haar kennis op de mededelingen van de grote wijzen uit het verleden, zoals Plato en Plotinus. Het ware karakter van poëzie is voor haar het nauwkeurig gebruiken van symbolische beelden die de lezer tekenen van een ander niveau van werkelijkheid kunnen overbrengen. Zij is er vast van overtuigd dat elk deeltje en elk voorwerp in deze wereld het symbool en de sleutel zijn voor zo'n alles te boven gaande werkelijkheid – 'Wij hebben het recht ons te verheugen en na te denken over de wereld, en ook om er een nuttig gebruik van te maken. De levende wereld is ons boek van wijsheid'.

Zij vindt dat het bovenal de poëten zijn die de aloude kennis en wijsheid actueel houden, waar kerken en filosofen die loslieten. In de poëzie wordt die kennis en wijsheid steeds weer bevestigd en opnieuw ervaren.

De begrippen omtrent de vele vlakken van ervaring die in dergelijke poëzie tot uitdrukking worden gebracht, beschouwt men wel als te verstandelijk, te 'weloverwogen' en bedachtzaam. Maar hoewel Raine zelf ongetwijfeld uitermate intelligent is, heeft zij een enorme oprechtheid en een zeer nederige houding ten opzichte van de oorsprong en de bronnen van haar eigen intuïtie.

Zoals bij velen van ons, was de sleutel voor wat zij in andere dimensies zou ervaren, te vinden in haar jeugd. Ten tijde van de tweede wereldoorlog werd zij als kind van zeven jaar vanuit Londen naar het platteland gestuurd. Stadsparken en drukke straten kunnen een kind nooit de voldoening schenken die het oog, het oor en de tastzin te allen tijde op het platteland kunnen vinden. De vele kleuren groen bijvoorbeeld, van het lichtste groen tot heel donker, de majesteit van de hemel, het geluid van de wind in de bomen en het gevoel van het zachte gras en de jonge blaadjes zijn oer-ervaringen, die bij een gevoelig en bewust kind voor altijd in het hart kunnen blijven hangen.

Zo verging het Kathleen Raine. Zij woonde bij haar tante, een onderwijzeres, in een 'in alle opzichten beeldig landhuis' zoals je die in het noorden van Engeland wel meer ziet. De tuin was 'vol bomen en bloemen en uit de grond stekende rotsen'. Na school en op zaterdagen ging ze op onderzoek:

Als een ware inboorling kende ik elke rots, elk hol, elk moeras, elke bron, elk stenen muurtje, elke boom, elke zeldzame rotsplant, elk kievitsnest en elke hoop gebleekte schapebeenderen in een straal van net zoveel kilometers als ik in één dag kon afleggen. Ik kende mijn gebied zoals Caliban zijn eiland kende en Robinson Crusoë het zijne leerde kennen.

Na de thee rende ik naar de heidevelden achter het huis; ik liep hard want de plek waar ik zoveel van hield, was een heel eind weg van het huis. Ik rende de ene met hei begroeide helling op en langs de steile kant weer af – een smalle, met gras begroeide rots – dan de volgende lange helling naar een tweede steile rotskant, woester, en hoger met meer grote keien, met droge zegge en harde eikvarens die met hun wortels de stenen in tweeën deden splijten. Hier wist ik nooit precies hoe ik verder moest lopen, maar uiteindelijk vond ik die plek altijd terug. Dan daalde ik af terwijl mijn hart angstig bonsde als ik me met handen en voeten aan dat griezelige stuk rots vastklampte, dat soms bijna afbrak onder mijn gewicht; over een kalkstenen schoorsteentje en naar een vooruitstekend randje dat mijn verborgen heiligdom was, of iets tussen een heiligdom en een hazeleger.

Dit heerlijke plekje van droog gras, met die overstekende

rots daarboven die zo overvloedig met varens bedekt was als ik nog nooit had gezien, was voor mij dat brandpunt, dat middelpunt van de wereld waar de mens altijd naar zoekt. Het is een aangeboren recht dat we allemaal het middelpunt zijn van onze eigen wereld. Maar hoe dikwijls raken we dat besef niet kwijt en geloven we dat Parijs het centrum is, of Moskou, of Oxford, of de Koraaleilanden in de Grote Oceaan, of de oorsprong van de Ganges, of het feest waarvoor we niet werden uitgenodigd. Dat gevoel van hier-en-nu ontsnapt ons, en we achtervolgen het en rusten niet voordat we het hebben ingehaald, als ons dat ooit lukt. Want de wereld is vol ballingen – misschien zijn we wel bijna allemaal ballingen voor zowat ons hele leven.

Maar hier had ik het toch te pakken en ik zat daar als een vogel op het nest, beschut, onopgemerkt, een partje van de uitgestrektheid, met de wereld, dag en nacht, wind en licht om me heen wentelend in de lucht. Er was geen enkel verschil meer tussen veraf en dichtbij en ik bevond me in dat geheel, zo ver als mijn ogen konden zien, zo ver als de zonsondergang. De wind en de regen waren als de kokende elementen in een glazen fles, dat was de hele aarde en hemel bij elkaar zoals mijn kinderlijke, subjectief idealistische geest het zag. De zon, de wolken, de altijd waaiende wind, het geritsel van droge zegge, de lucht in het westen, waren één. Totdat ik het koud kreeg of de regen, of angst voor de duisternis mij naar de beschutting van het huis deden snellen, naar de minder volmaakte wereld, de wereld van mensen waar ik binnenkwam en met mijn ogen knipperde vanwege het licht dat de petroleumlamp in de keuken verspreidde.

Farewell Happy Fields

Dergelijke jeugdherinneringen bleven haar gedurende haar hele turbulente, emotionele leven achtervolgen. Nadat zij in Cambridge haar biologie-studie had afgerond, is zij kortstondig getrouwd geweest. Later trouwde zij voor de tweede maal en ook dat huwelijk was gedoemd te mislukken nadat ze een zoon en een dochter had gekregen. Zij raakte op pijnlijke wijze verwikkeld in een derde liefdesverhouding die wederom geen succes bleek en gedurende de tweede wereldoorlog vertrok zij, met haar kinderen en weinig geld, naar een klein afgelegen huis in het merengebied. Hier vond ze weer even de wereld waarvan zij dacht dat ze die voor altijd kwijt was.

Het was alsof hetzelfde enorme aantal sneeuwvlokken mijn terugkeer had afgewacht en het geluid van het beekje dat door het gebied stroomde, hetzelfde geluid van die stromende beek dat ik hoorde toen ik in de blauwe slaapkamer in het huis van mijn tante in bed lag.

The Land Unknown

Maar nu was ze volwassen en een bekende schrijfster en haar ervaringen pasten beter bij een rijpere pelgrim. Hier maakte zij kennis met een veranderde toestand van bewustzijn die een eerste vereiste is voor een glimp van verlichting:

In de zomer dat Frankrijk capituleerde, woonde ik ergens waar alles stralend was door dat innerlijke licht waar Traherne over schreef; en voorbij die niet aflatende innerlijke verlichting van mos en varens, van gele slaapmutsjes en van water dat over de stenen stroomde en de schittering van zuiver licht weerspiegelde, de warmte van de zon op de stenen bank onder de taxus, de geur van jonge berkeblaadjes en lindebloesem, die grens van het kale land die steeds veranderde in de zon en de schaduw, waren daar bepaalde momenten die in alle opzichten een ander soort bewustzijn kenmerkten. Zo'n toestand is heel vaak beschreven: Tennyson zei dat hij dat bewustzijn naar willekeur kon binnengaan; Richard Jefferies en anderen kennen dit eveneens. 'Natuur-mystiek' neemt, in vergelijking met die staat van bewustzijn die heiligen en wijzen bereiken, wellicht een relatief bescheiden plaats in op de ladder van perfectie; maar vergeleken met het gewone bewustzijn is het een verschil als tussen de wereld en het paradijs, en ook dat is het eigenlijk niet precies. De omschrijving van een bepaalde staat van bewustzijn in termen van een andere toestand moet op anderen, die zelf dat soort ervaringen niet kennen, altijd een zinnebeeldige of poëtische indruk

90

maken; en zo zal het altijd wel zijn als, op welk gebied dan ook, onwetendheid rechtspreekt over kennis. Maar zij die weten zijn eenstemmig in hun verklaringen dat dergelijke veranderingen van bewustzijn niet uitgedrukt kunnen worden in mate, maar in soort; niet een of andere hevige emotie, maar een klaarheid waarin je alles, als door een zuiverder zintuig, uiterst precies waarneemt.

Op de tafel waar ik mijn gedichten schreef, stond altijd een schaal met verschillende soorten mos en wolfsklauw. Ik kon dan lang en geconcentreerd naar die vormen zitten staren, en naar die stralende smaragdgroene kleur. Er stond ook een hyacint in een violetkleurig glas. Op een avond zat ik daar alleen aan mijn schrijftafel, de Aladdinlamp aan en een houtvuur in de open haard. Alles was tot rust gekomen. Ik keek naar die hyacint en terwijl ik met starende blik naar de vorm van de bloemblaadjes keek, naar de kracht van die gebogen vorm als ze zich openen en achterover krullen waardoor het geheimzinnige binnenste van de bloem met de helmknoppen en oogvormige hartjes wordt blootgelegd, merkte ik plotseling dat ik er niet langer naar keek, maar ik was het; een duidelijke, niet te beschrijven, bepaald niet vage, maar wel minder emotionele verandering van bewustzijn in de plant zelf. Of eigenlijk waren de plant en ik één, en niet te onderscheiden; alsof de plant een deel van mijn bewustzijn was. Ik durfde nauwelijks adem te halen, gevangen als ik was in een soort aandacht waarin ik de levensstroom in de cellen kon aanvoelen. Ik nam de bloem niet waar, ik leefde in die bloem. Ik was mij bewust van het leven van de plant als een trage vloed of een circulatie van een levensstroom van zacht glanzend licht van de uiterste zuiverheid. Ik kon de formele structuur en het dynamische proces waarnemen als een simpele kern. Deze beweeglijke vorm was, naar het scheen, van spirituele en niet van materiële orde; van een zuiverder materie, of van materie die als geest wordt waargenomen. Er was niets emotioneels aan deze ervaring die, integendeel, een bijna mathematische benadering was van een complex en geordend geheel, dat werd waargenomen *als* een geheel. Dat geheel was levend en dat boezemde een bezielend gevoel in van onbetwistbare heiligheid. Levende vorm – dat is wel de beste benaming voor de kern of ziel van de plant. Met 'levende' bedoel ik niet dat wat een dier onderscheidt van een plant, of een plant van een mineraal, maar meer een hoedanigheid die zowel dier, plant als mineraal in hun eigen mate hebben. In deze betekenis is alles levend, of helemaal niets is levend; het materialisme is voortdurend gericht op die ontkenning, bij gebrek – dat begrijp ik nu – aan de directe bezorgdheid voor het leven, als leven. Die ervaring hield enige tijd aan – ik weet eigenlijk niet hoelang – waarna ik terugviel in het domme menselijke bewustzijn met een gevoel van kleinheid. Ik had zo'n ervaring nooit eerder gehad en ik heb het sindsdien ook niet in dezelfde mate gevoeld; en toch leek het toen niet vreemd maar oneindig vertrouwd, alsof ik uiteindelijk de dingen ervoer zoals ze werkelijk waren, alsof ik was waar ik thuishoorde, waar ik in zekere zin altijd was geweest en ook altijd zou zijn. Dat bijna onafgebroken gevoel van verbanning en te weinig ervaring, wat vermoedelijk de gemiddelde toestand van de mens weergeeft, verdween als een film uit het gezicht. Als men in deze zaken iets onmiddellijk ziet, houdt dat in dat men het voor altijd weet.

Farewell Happy Fields

Kathleen Raine is nu in de tachtig. Ze heeft heel lang gewerkt in haar leven, vele boeken gepubliceerd op het gebied van poëzie en essays, alsmede een autobiografie. Haar hele leven was zij William Blake zeer toegewijd. Zij beschouwt hem als haar leraar en goeroe. Zij is wereldwijd geprezen, niet alleen voor haar eigen geschriften, maar ook voor haar interpretatie van het werk van Blake. Hoewel zij een leeftijd heeft bereikt waarop velen op de achtergrond treden om van hun rust te genieten, doet Raine het tegenovergestelde. Zij reist de hele wereld over naar conferenties en is de actieve oprichtster en redactrice van *Temenos*, een tijdschrift dat is gewijd aan kunst en fantasie.

Zij woont in een van die oude, mooie huizen in Londen, met uitzicht op een met bloemen beplant plein in het centrum van Chelsea – een buurt die nog niet zo lang geleden de bakermat was van artiesten en handwerkslieden. Hoewel ze altijd weinig geld had, heeft ze haar roeping als schrijfster nooit willen gebruiken om materiële welstand te verkrijgen, en toch weerspiegelt haar gezicht geen strijd en ziet zij er sereen en tevreden uit.

Haar bedachtzame manier van doen geeft ook niets prijs van de problemen die zij in het verleden op het gebied van de liefde heeft gehad. Het leven heeft haar inderdaad hardvochtig bejegend – of zij zichzelf – en hoewel zij zich meer dan eens wanhopig in een liefdesgeschiedenis stortte, is er nooit een blijvende relatie uit voortgekomen. Haar autobiografie beschrijft bepaalde details over haar laatste minnaar, de zeer diepe gevoelens die zij had voor Gavin Maxwell, de natuurkenner die in *Ring of Bright Water* schreef over de otter Mijbil. In feite heeft Raine zelf heel vaak voor Mijbil gezorgd als Maxwell afwezig was en zij in zijn huis op de Hebriden verbleef – en toen zij daar weer eens voor Mijbil zorgde, is de otter op een dag weg gezwommen, de vrijheid tegemoet. Voor Maxwell, die bisexuele neigingen had, was Raine's hartstocht uiteindelijk meer dan hij kon verdragen en hij maakte een eind aan de verhouding. Hij had haar vanaf het begin beschouwd als een bociende vriendin, maar niet meer dan dat.

Het verdriet om een afwijzing, al is die dan ook uitgelokt, kan tot verbitterdheid leiden, maar in het geval van Raine gebeurde dat niet. Zij is nu tot rust gekomen, en met een gelaatsuitdrukking en de geest van een veel jongere vrouw, verwelkomt ze de mensen die haar opzoeken en praat vrijelijk over haar gedachten en waarden.

'De werkelijke fundamentele vraag is: geloof je dat de wereld een structuur is die bestaat uit materie die men kan reguleren en manipuleren, maar die geen eigen leven heeft, en dat de mens daarvan een min of meer waardeloos onderdeel is; of geloof je dat er een eeuwige, altijd levende geest is, dat de geest primair is en niet de materie, dat we de materie slechts kennen door de geest die deze in de eerste plaats waarneemt – want dat is de overdraagbare traditie die er altijd is geweest? Het eerste denkbeeld leidt tot nihilisme en de ondergang van de aarde. Wie de tweede mening huldigt, gaat steeds verder en verder en verder in het eindeloos verkennen van de wereld. Je staat steeds aan het begin. Ik zou de jeugd willen vragen die materialistische opvatting af te wijzen. Die is onjuist en leidt tot een vreselijke ontaarding van het beeld van de mens – ik bedoel daarmee dat als de mens slechts iets bijkomstigs zou zijn in het grote mechanisme van het universum, dan zijn we niets en is de vernietiging zeer nabij. Het is beslist een volslagen verkeerde opvatting van wat we zijn en wat het universum is als je het afzienbare gelijkstellen gaat met werkelijkheid; en het onafzienbare – en dat omvat ook het bewustzijn – geleidelijk wordt verdrongen van de eerste plaats als het beginpunt van alle kennis. Ik zou willen dat de jeugd voelt dat we levende geesten zijn. We zijn levende zielen en kinderen van de eeuwige geest, de goddelijke bron van alle dingen, van het hele universum en ook van onszelf. Ik geloof dat al het andere daaruit voortvloeit. Het betekent dat we ons helemaal moeten omdraaien en de andere kant uitkijken. Als je eenmaal ziet dat de mens de signatuur van god draagt, dan *kun* je mensen niet bejegenen op de manier zoals mensen elkaar behandelen.

Als ik "god" zeg, leg ik dat op de volgende manier uit. Ik zie het goddelijke zelf – dat wat is – als een persoon. Niet in de betekenis van een gepersonificeerde god of een vergoddelijkte man in de betekenis van Jezus, maar omdat het eeuwige en altijddurende zelf een bewustzijn heeft, kennis heeft van alle dingen, spreek je eerder van een persoon dan van een levenskracht of iets dergelijks; omdat geest, bewustzijn, sat-chit-ananda (zijn-bewustzijn-gelukzaligheid) een levend wezen of levende geest is en daarom geloof ik in een goddelijk wezen. Je kunt niet van geest of bewustzijn spreken zonder over god te spreken als *de* persoon van het universum en niet als *een* persoon.

Toen ik jong was, is er een tijd geweest dat de christelijke opvatting omtrent god mij boeide. Ik was bevriend met Antonia White en Graham Greene, beiden katholiek en zij haalden mij over rooms-katholiek te worden. Maar dat was het toch ook niet. Waarom zocht ik toen geen aansluiting bij een of andere vorm van theosofie, of bij een van de Indische religies? Had ik dat toen maar gedaan. Maar... ik moet een verontschuldiging aanvoeren voor wat ik toendertijd wist, en waarvan ik nu bepaald veel duidelijker zie dat het de verkeerde koers was. Ik leefde als het ware op het keerpunt waarop het christelijke tijdperk overgaat in wat men nu het Aquariustijdperk noemt. Het christendom had alle grote kunstuitingen van de beschaving waar ik toe behoorde, geïnspireerd; en god weet dat ik in één opzicht oprecht was door de katholieke, zo te zeggen, nationaliteit aan te nemen – namelijk in het volledig afwijzen van de materialistische filosofieën. Het was toen nog niet zo duidelijk als nu dat het christelijke tijdperk, met alle grootheid, ten einde was.

Maar als ik spreek over het heilige, of over het symbool, dan trek ik eigenlijk een vergelijking tussen verschillende vlakken van de werkelijkheid. Je kunt het op twee manieren bekijken: dat iets in de zintuiglijke wereld, betekenissen en werkelijkheden van hogere werelden, van de ziel of de geest te voorschijn roept; of je bekijkt het van de tegenovergestelde kant, misschien meer zoals men het in India ziet, dat wil zeggen dat wat je ook ziet in de zichtbare wereld, plaats biedt aan een spirituele werkelijkheid die vorm heeft aangenomen.

In zekere zin is de camera het oog van het materialistische tijdperk, en zelfs de dichtkunst is tot verbale fotografie geworden, terwijl het ware voorstellingsvermogen onafgebroken de natuur interpreteert omdat niets zonder betekenis is. We leven in een symbolische wereld die we constant zouden moeten interpreteren, of de kans geven tot ons te spreken. Alles wat we zien, heeft ons iets te zeggen, vertelt ons iets als we het maar juist interpreteren. We moeten meer luisteren en meer kijken en voor mij is de poëzie over de natuur niet wat wij erover schrijven, maar wat de natuur ons vertelt. De wind en het gras behoeven geen uitleg, die spreken eenvoudig voor zichzelf. Als symbolen brengen zij de volmaaktheid van de geest tot uitdrukking. Alles in de geschapen wereld werd vervuld – werd geschapen door de instroming van de geest – zo is het allemaal. Wat tot ons als mens spreekt, is evenwel zuiver een persoonlijke aangelegenheid. Je weet nooit wat het zal zijn en het is voor iedereen anders.

Naarmate ik ouder word, denk ik eigenlijk steeds meer dat we eigenlijk alles weten als we dat zouden willen, en dat het menselijke verstand of wat dat ook is, meer een uitsluiting dan

95

een bewijs van kennis is. Het is zo dat mensen als Locke dachten dat de geest een *tabula rasa*, een onbeschreven blad was en dat alle kennis van buitenaf daarop werd afgedrukt. Ik denk dat juist het tegenovergestelde waar is. We weten het allemaal omdat we in feite de schepping zelf zijn, we zijn het leven van de altijddurende geest die zich in al die ontelbare levens van de wereld manifesteert'.

Ik heb alle boeken gelezen, maar één
Blijft slechts geheiligd: deze
Bundel van wonderen, immer geopend
Voor mijn ogen.

Gedicht zonder titel, Collected Poems 1935-80

EVELYN UNDERHILL

Evelyn Underhill was een van de eerste christelijke vrouwelijke mystici van deze eeuw. Zij begreep op een schitterende, talentvolle manier wat het betekent, te worden vereenzelvigd met het Absolute. En toch kon je bijna zeggen dat er twee Evelyns waren. Je had de vrolijke ontdekster van het eeuwige en hoe dat moet worden uitgedrukt in tijd en in de wereld; en er was de oudere, strengere, vromere, religieuze vrouw die veel mensen heeft leren begrijpen wat een christelijk leven betekent. Hoe is die verandering tot stand gekomen? Maakte Evelyn een natuurlijke ontwikkeling door waarbij zij haar non-theïstische en scherpzinnige, verwonderde verrukking kwijtraakte in het geheel van een dogmatisch correct christendom?

Om de betekenis van zo'n ontwikkeling te begrijpen, moeten we lang en aandachtig de verschillende stadia van haar geest bekijken. Zij werd geboren in 1875 en hoewel zij heel tevreden was in haar jeugd, was zij wel eenzaam. Zij was enig kind en haar ouders waren hartstochtelijke zeilers, maar namen het kleine meisje niet mee op hun tochten. Toen ze tien jaar was, werd ze naar kostschool gestuurd. Ze was evenwel overtuigd van de liefde van haar ouders en zolang zij leefden, bleef zij hen zeer toegewijd. Welbeschouwd was het misschien de juiste sfeer voor de gevoelige Evelyn. We zien dat ze op haar zeventiende verjaardag in haar dagboek schrijft:

Dag zestien jaar oud. Ik hoop dat mijn geest niet in de lengte zal groeien om op de dingen neer te kijken, maar in de breedte om in het komende jaar alle mogelijke dingen te omarmen.

Evelyn Underhill

Evelyns vader was advocaat en ze woonden op Campden Hill Place in Londen. Toen Evelyn opgroeide, kwamen er twee zoons van een collega van haar vader bij hen in huis. De moeder van de jongens was overleden. Hun vader was eveneens een enthousiaste zeiler. Bovendien waren ze ook bijna buren. De oudste jongen, Hubert Stuart Moore, trouwde uiteindelijk met Evelyn en hun innige vriendschap vanaf haar vijftiende jaar was van overheersende invloed in haar leven.

Zij werd door haar vader aangemoedigd haar geest te ontwikkelen en zij ging dan ook studeren aan het King's College in Londen. Evenals Kathleen Raine studeerde zij biologie en raakte zij geboeid door de wonderen van vormen en schoonheid in de natuur. Zij maakte ook een studie van filosofie en sociale wetenschappen, en was een van de eerste leerlingen in deze laatste tak van wetenschap. Zij vertelde een vriendin dat zij het gevoel had dat ze zich niet langer druk hoefde te maken over de religie, en je voelt daarin een zucht van verlichting. Maar door het bestuderen van de filosofie ontdekte ze Dante en Plotinus, en haar ontvankelijke geest werd blijvend geboeid door de dimensie van voortreffelijkheid waarover zij spraken.

Toen ze drieëntwintig was, bezocht ze Italië en raakte ze geheel in vervoering door de prachtige schilderijen en fresco's die ze zag. Zij voelde een behoefte de spirituele bron van dergelijke kunstuitingen te ontdekken, en ook zij vond William Blake (die ook Kathleen Raine zozeer inspireerde). Blake sprak van een rijk waarvan zij wist dat het van fundamenteel belang voor haar was, en toch werd hij niet belemmerd door religieuze dogma's en kerkelijke organisaties waar zij intuïtief een hekel aan had.

Er is nog een parallel met Kathleen Raine die ons een sleutel geeft tot de gesteldheid van haar geest. Zowel Evelyn als Kathleen was zeer onder de indruk van Plotinus – de eenzame tot de eenzame – en van Blake – de ziener-dichter. Beide vrouwen voelden heel sterk dat er andere dimensies waren en verlangden naar verlichting. Toch kwamen ze allebei uit agnostische milieus – in het geval van Raine haar wetenschappelijk gevormde vrienden in Cambridge, en in het geval van Evelyn haar familie – en voelden zij alle onzekerheden van de verborgen mystiek. Beiden werden sterk beïnvloed door katholieke vrienden – voor Raine waren dat Antonia White en Graham Greene – en allebei verlangden ze toch naar de vertroosting van een religieuze structuur. Raine trad toe tot de katholieke kerk, maar kreeg spijt en zwoer de kerk weer af. Evelyn was net zo verlangend toe te treden tot de kerk. Zij had het besluit al genomen toen Hubert (net voordat ze in het huwelijk zouden treden) losbarstte in een vreselijke 'vlaag van droefheid, woede en ellende' over dat plan. Hij beweerde dat dit het einde voor hen zou betekenen omdat er altijd een pastoor tussen hen beiden zou staan. Evelyn kwam terug op haar besluit.

Nadat zij getrouwd was, kwamen de jaren dat Evelyn zich aan haar geschriften wijdde. Ze was nu bekend als schrijfster, maar haar grote werk *Mysticism*, waarin ze de volledige betekenis van die toestand navorst, maakte dat zij bij een veel groter aantal lezers vermaardheid kreeg. Het boek was klaar toen ze vijfendertig was, maar vier jaar later, in 1914, voelde zij zich door de gruwelen van een enorme oorlog verplicht een eenvoudig boek met adviezen te schrijven. *Practical Mysticism* heeft mogelijkerwijs meer mensen bereikt dan een van haar andere boeken.

In *Practical Mysticism* onderzoekt zij de manieren waarop het Absolute bij iedereen gevonden kan worden, zelfs bij een 'beginner'. Ze begint dapper met een definitie van de mystiek:

Mystiek is de kunst van eenwording met de werkelijkheid. De mysticus is iemand die in meerdere of mindere mate die eenwording heeft bereikt; of daarin gelooft en zich dat ten doel stelt.

Zij legt de term 'werkelijkheid' terzijde als een essentiële voorwaarde waar alleen een mysticus over kan praten, en richt zich op het woord 'eenheid'. Zij wijst erop dat dit niet 'een zeldzame en onbegrijpelijke handeling' betekent, maar iets waar we 'op een vage, onvolmaakte manier' altijd al aan gewerkt hebben en dat we dat 'krachtig en doortastend' doen in de meer ware en bewuste momenten van ons leven.

We kunnen iets alleen maar leren kennen door er één mee te worden, zegt zij; en wel doordat dat andere zich assimileert met ons en ons ook geheel doordringt. Het geeft zichzelf voor zover wij onszelf geven. Als regel is onze uitstroming naar alle andere dingen traag en mat, met het gevolg dat wij de dingen op dezelfde nonchalante en lusteloze manier bevatten. Maar met de nieuwe gemeenschap komt ook de wijsheid. Onwetendheid is dan voor degenen die zich nooit geven aan de wereld die hen omringt, maar die als rechters aan de kant blijven staan en dingen analyseren waar ze eigenlijk niets van weten.

Louter toekijken betekent nooit dat men begrip kan opbrengen voor de overgave en eenwording van de artieste met haar onderwerp, de minnares met haar geliefde, of de heilige met haar god. Maar al snel na het eerste ademloze contact en het bevatten van eenwording volgt het analytische denken; en zowel mannen als vrouwen gaan er dan van uit dat dit het essentiële deel van de kennis is, dat het verstand hun het ware vertelt en niet de ervaring.

Hier roert Evelyn het dilemma aan dat de mensheid niet loslaat. Ervaringen hebben we allemaal, ja, maar de innerlijke, directe, 'zuivere' ervaring wordt bijna ogenblikkelijk overstemd door ons denkproces, dat de gebeurtenis samenvat tot een begrip en dat begrip onterecht aanziet voor de ervaring.

Zij zegt dat het bekend is dat het bewustzijn van de mens het zelf eerder met de dingen verenigt via voorstellingen, denkbeelden en gezichtspunten dan met wat ze werkelijk zijn. De praktische man verbeeldt zich in een wereld van objecten te leven die zelf geen bestaan hebben. Zijn bewustzijn staat zo los van de feiten van zijn bestaan dat hij zelfs niet het gevoel kent iets tekort te komen. Hij vindt zijn geluk meer in analyseren, begrijpen, versieren en verwerken dan dat hij die dingen ervaart die zijn bewustzijn hem verschaft. En dan gelooft hij dat hij het lege karkas begrijpt waar hij al het werkelijke leven en alle groei uit heeft verwijderd, en waarvan hij alleen de meest makkelijk te verteren stukjes neemt.

De 'praktische man' (en wij krijgen de indruk dat Evelyn hem enigszins veracht) maakt voortdurend de fout te denken dat zijn persoonlijke gewaarwordingen de hoedanigheden zijn die inherent zijn binnen de mysterieuze dingen van de buitenwereld. Zijn geest registreert nuances van kleuren, elementen van omvang en bouw enzovoort, en die gaat hij dan indelen en bestempelen alsof het zijn eigen ervaring geldt. Hij vereenzelvigt zich dan met het etiket dat hij erop plakte, denkt zij, want dat heeft hij uitgevonden, het is van hem en hij kan dat ook vertrouwen. Het is afgebakend, onveranderlijk en zeker.

Omdat mysteriën die we niet begrijpen, ons vaak beangstigen, zijn we overeengekomen die etiketten in praktijk te brengen; ze tot onze kern van ervaring te maken, en geen aandacht te schenken aan het feit dat het louter symbolen zijn. Volgens Evelyn proberen we niet eens dichter bij de werkelijkheid te komen. Maar nu en dan wordt die ons thuisbezorgd door een of andere hevige emotie. Wellicht een verheffend moment van schoonheid, van liefde of zelfs pijn kan ons naar een ander plan van bewustzijn tillen en dan worden we kortstondig het verschil gewaar tussen die afzonderlijke dingen en ervaringen die wij het etiket 'de wereld' geven, en de grootheid van dat essentiële, levende *feit* waarvan ons leven en denken slechts delen zijn, en waarin wij 'leven en in beweging zijn en ons bestaan hebben'. De bestanddelen waaruit ons leven is samengesteld, worden dan intenser, breder en groter, veel bewuster. We hebben een dieper gevoeld begrip van wie we zijn – en het antwoord ligt voor het oprapen. Maar meestal zijn we er te ver van verwijderd en kunnen we het niet naar binnen brengen. Behalve op die buitengewone momenten weten we nauwelijks dat het er is.

Hoe moeten we het goddelijke dan leren ontdekken? Op een praktische manier, zegt Evelyn. Door latente vermogens te trainen, door het kwijnende bewustzijn te verhelderen, door het verbreken van de boeien van de schijn, door de aandacht op nieuwe dimensies en niveaus te richten. 'Deze hoeveelheid mystieke waarneming – deze ''alledaagse contemplatie'' – is een mogelijkheid voor alle mensen; zonder dat zijn ze zich niet volkomen bewust en ook niet volkomen in leven'.

Zij vraagt zich af wat het betekent voor iemand die het ook inderdaad vindt, een leven waarin de nadruk veeleer op onmiddellijke waarneming ligt, op de boodschappen die de wereld binnenstromen, dan op het ingewikkelde universum dat onze schrandere hersens van die boodschappen maken. Zij denkt dat het zou betekenen dat er een nieuwe wereld en een nieuw soort werkelijkheid zou ontstaan; het zou vrijheid van het geclassificeerde museum-achtige leven betekenen waar alles een etiket heeft, en waar alle feiten die te beweeglijk en te moeilijk zijn, genegeerd worden. Zij vermoedt dat het een vereenvoudiging zal betekenen voor het zien en horen, een onschuld waar we ons onmogelijk een voorstelling van kunnen maken; het opnieuw ontdekken van de verloren mysteriën van aanraking en geur, eigenschappen van de allermooiste zintuigen. En het zou betekenen dat we onze geordende wereld van begrippen, opgebouwd door ons denken en begrensd door 'de massieve wallen van het mogelijke' opgeven voor de onvoorstelbare rijkdom van die niet afgebakende wereld waarvan we hem hebben afgenomen.

Ze gelooft dat we soms achter die eenzijdige indrukken die we kleur, geluid, geur enzovoort noemen, een werkelijkheid ontdekken die opeens heel simpel is en toch in alle opzichten vol verscheidenheid, de bron waaraan die eenzijdige indrukken ontspruiten. Die tracht zich daarin als het ware te tonen. En als we die zien, voelen we ook dat we iets aanschouwd hebben dat reusachtig belangrijk is; het toont ons dat aspect van de wereld waarin we de hele betekenis, de hele aard van die bron kunnen zien.

De essentie van mystieke contemplatie kan, volgens Evelyn, worden samengevat in twee ervaringen – 'harmonie met de levensstroom, en harmonie met de Eenheid waarin alle kleinere werkelijkheden zijn samengevat'. Mogelijkerwijs, zegt zij, zijn we allemaal bespiegelaars.

Zij vraagt haar lezers of het hun ooit is overkomen dat zij geheel in de ban raakten van een korte en transformerende ervaring waarvoor geen benaming was te vinden. Toen de wereld een wonder werd en zij naar buiten snelden om het tegemoet te treden.

Dergelijke momenten vereenvoudigen en verenigen alles. Ze ontmantelen de aanwas van gedachten en de kleine voorvallen waardoor onze dwalende aandacht onafgebroken wordt afgeleid, en brengen de hele mens in één bepaalde toestand, een toestand die een werkelijkheid voelt en kent die voor het verstand onbegrijpelijk is.

Het vereenvoudigende proces dat alle mystieke ervaringen

102

inleidt en het opnemen van de vele delen in dat geheel dat de werkelijke mens vormt – in de eenheid van de geest, zoals de mystici zeggen – dat proces laat de prachtige krachten van liefde, schoonheid, eerbied en droefheid soms tot uiting komen. Zij nemen de mens mee van de kleinigheden die hem in beslag nemen, naar het overpeinzen van het geheel; keren hem van de begrensde voorstellingswereld naar de 'onuitsprekelijke wereld van de werkelijkheid'. Maar dat zijn voorbijgaande en ongewilde ervaringen die met geweld in de ziel neerdalen. Evelyn vraagt de lezer of hij wil dat zijn glimp van de werkelijkheid afhankelijk is van dergelijke onvoorziene gebeurtenissen: 'van de plotselinge wind en regen die de ramen schoon wassen en het uitzicht op het landschap openen'. Je kunt die ramen ook zonder regenbui schoonhouden, zegt zij, als je je aandacht daar maar op vestigt.

Zij gelooft dat je op die manier kunt zien dat er een stilte in de kern is die zelfs de mens niet kan doorbreken. Daar verenigt het ritme van het universele zijn zich met het ritme van het leven van de mens. Daar bestaat het werkelijke zelf, het eeuwig wezenlijke dat door alle stroming en verandering van bewuste toestanden voortduurt. Als je eenmaal in die kern bent geweest, kun je het bewustzijn naar binnen keren als je dat wenst, en je terugtrekken naar het punt waaruit alle werkzaamheid stroomt en waarheen alles ook moet terugkeren.

Als Evelyn haar lezers begint te leren hoe zij 'in het centrum moeten blijven', gaat zij naar de heilige Theresa van Avila om de meditatiemethode te bestuderen die deze zestiende-eeuwse mystica haar nonnen leerde. 'Ik vraag van jullie', sprak Theresa tot haar leerlingen, 'niet om grote en bijzondere welwillendheid wat begrip aangaat te vormen; ik vraag jullie alleen maar te *zien*'.

Dat zien, zegt Evelyn, is niet bedoeld om iets nieuws te vinden of in de diepte van de dingen te turen. Het gaat erom opnieuw te onderzoeken wat je al eerder hebt gezien, erover na te denken, op de achtergrond te blijven en gade te slaan.

Ze raadt haar lezers aan een voorwerp of een idee te kiezen en dat in gedachten te houden. Als je een keus hebt gemaakt, moet je het gekozene gedurende de meditatie vasthouden en tegen alle interrupties en storingen van buitenaf beschermen, hoe aantrekkelijk die ook schijnen, hoe verheven hun vermomming ook is. Je moet je op dat gekozene concentreren, ernaar staren, het steeds weer opnemen als afleidende zaken er macht over lijken te krijgen.

Zwoegend om die positie te behouden en gericht op de voleinding ervan, zal het al gauw duidelijk worden dat je, hoewel je niet weet hoe, op een nieuw vlak van gewaarwording bent gekomen, in een andere verhouding tot de dingen staat. En naarmate de meditatie zich verdiept, zal dat vanzelf een verweer zijn tegen de eeuwigdurende beroering vanuit de buitenwereld. Je kunt het rusteloze gegons van die wereld horen als een ver verwijderde uiterlijke melodie, en degene die mediteert, kan zich daarvan afwenden. Tussen hem of haar en de wereld is een ring van stilte gelegd, en binnen die stilte ben je vrij. Je kunt het gekleurde tafereel bekijken en het zal zo dun als papier lijken, en slechts één onder de vele mogelijke beelden van een diepte van bestaan die je tot nu toe niet kende. Met die moeizame, inspannende concentratie-oefening, deze eerste stap op de ladder die omhoog stijgt van – zoals de mystici wel zeggen – 'veelheid naar eenheid', heeft degene die mediteert zich tenminste voor een deel afgekeerd van de vereenzelviging met onwerkelijkheden, met hersenschimmen en denkbeelden waar hij tot nu toe tevreden mee was; en onmiddellijk veranderen alle waarden van het bestaan.

Lezers die zich in het boeddhisme hebben verdiept, zullen zich bewust zijn dat Evelyn welhaast precies de methode van *samatha*, of concentratie, volgt. Zij was zeer goed op de hoogte van de Indische religies en je kunt je afvragen of die kennis ten grondslag ligt aan dat boek, haar meest op de praktijk gerichte boek omdat zij zich vele malen tot Indische geloofsovertuigingen wendt. Als jonge vrouw was zij korte tijd lid van een esoterisch genootschap, de Golden Dawn. Er waren onder de leden veel theosofen en andere denkers te vinden, zoals W.B. Yeats, A.E. Waite, Dion Fortune en Arthur Machen. Zowel Waite als Machen beïnvloedden het denken van Evelyn in hoge mate en door Waite, die rooms-katholiek was, leerde ze de betekenis begrijpen van de eucharistie, en het symbool van de heilige graal. Door de Golden Dawn, en later door haar vriendschap met de Indische dichter Tagore, begon ze de diepere betekenis te beseffen van het Indische spirituele leven, met de nadruk op de tijdloze rust achter de ontelbaar vele verschijnselen.

Zij adviseert ons begeerteloosheid, het beëindigen van eigenbelang, en vervolgens de dingen liefhebben om wat ze zijn. Dat is het geheim van aanpassing en eenwording met de werkelijkheid.

Dergelijke daden brengen de geweldige eigenschap van plooibaarheid mee, zegt zij, het vermogen eenvoudig en gemakkelijk te reageren op wat het leven brengt. De zaken hebben ons dan niet meer in hun macht en dat heeft tot gevolg dat we een grotere innerlijke vrijheid vinden, een gevoel van ruimte en vrede. Als de wil, het hart en de geest bevrijd zijn van de onafgebroken opeenvolging van gedachten, die al die tijd als dictator optraden, kunnen zij zich tot de doelstellingen van ons diepste wezen wenden.

Zij dringt er bij de lezer op aan onmiddellijk te beginnen. Door een gedecideerde daad van liefhebbende wilskracht kunnen we een hand uitsteken in de richting van een van de openbaringen van leven om ons heen, die we op de gewone manier nauwelijks opgemerkt zouden hebben totdat we er iets van nodig hadden. We moeten onszelf uitstorten in plaats van beelden in ons op te nemen. Oplettendheid waarbij je alle bewustzijn van je zelf vergeet, is de voorwaarde voor succes. Alles in het universum waar je de handen naar uitstrekt, is onderling verbonden en slechts als je waarlijk gekend wordt, is dat de poort naar al het andere.

Als degene die mediteert, oprecht is, zal deze eenvoudige oefening snel vruchten afwerpen. Door zo'n gedecideerde daad van eenwording, zo'n blik van liefde, zul je al snel een verwantschap ontdekken – 'veel en veel inniger dan je je ooit had voorgesteld' – tussen je zelf en de dingen die je omringen; en juist in die gevoelszaken vind je een diepgaande betekenis, een persoonlijke betekenis, een feitelijk antwoord dat je wellicht op andere momenten absurd zou hebben gevonden.

Vervolgens moet je je van het opgeplakte etiket afwenden en je overgeven aan de directe communicatie die uit het object stroomt. Zo'n ervaring wordt dan een gevoel van beroering, wat de mystici 'genieten' noemen en waarvan onze beperkte lichamelijke gevoelens ons slechts vluchtig iets laten merken. In deze innerlijke eenwording, dit 'eenvoudige zien', deze totale overgave van de ziel aan de afdruk van een ding, kunnen uiteindelijk de gewijde krachten van het gevoel ten volle en op de juiste manier worden gebruikt. En omdat ze worden gebruikt en je je erop concentreert, omdat heel simpel wordt aanvaard wat ze te melden hebben, is het gevolg dat de gevoelswereld, op degene die mediteert, overkomt als een godsverschijning, een uiting van het goddelijke. Niet een symbool, maar een optreden en dat is iets heel anders.

Evelyn vierde deze eenwording als een roeping, en wel zo veelzijdig dat het ondenkbaar was dat er niet iets mee te doen zou zijn. Zij geloofde dat iedereen moest trachten verwezenlijking te vinden in de wereld zodat er meer scheppende energie zou komen en meer werkelijk leven, want zij zag dat het leven als geheel zich slechts schamel manifesteerde in de haar omringende wereld.

Evelyn zag dit ongetwijfeld als haar eigen roeping en zij vervulde die in hoge mate. Speciaal in haar jeugd was zij in staat een taal te spreken die universeel is voor alle mystici. Daarom zijn haar boeken op mystiek gebied op het moment net zo populair als toen ze voor het eerst werden uitgegeven.

Maar nu komen we bij de tweede Evelyn, de geëngageerde aanhangster van de anglicaanse kerk. Nadat haar pogingen katholiek te worden, hadden gefaald, stortte zij zich op de leer van de anglicaanse kerk en daar bleef het bij, en eigenlijk vond ze dat zelf nogal komisch. Dit had haar stijl niet hoeven wijzigen, maar er veranderde wel iets toen zij op zoek ging en een spiritueel leider vond, Baron von Hügel, een rooms-katholieke filosoof die in Londen woonde. Op een bepaalde manier vertegenwoordigde hij alles voor haar wat zij in zichzelf zocht en niet kon vinden, het christendom met Christus als middelpunt waarvan zij geloofde dat ze daardoor krachtdadiger kon functioneren in de wereld. Maar de baron was een oude man en hij was voorzichtig. Langzamerhand kreeg zij het gevoel zich vergist te hebben. De baron keurde abstracte begrippen zoals 'werkelijkheid', of de invloed van Indische religies, af. Hij vond dat de christelijke persoonlijke god en zijn zoon Jezus het doel van het mystieke pad moesten zijn. Evelyn had zichzelf overtuigd dat zij die mening ook was toegedaan, maar zij vond het moeilijk te volbrengen. De baron hield eigenlijk niet van mystiek:

Het mystieke gevoel voert rechtstreeks naar god en denkt alle verrukking alleen in hem te vinden. Maar bij een zorgvuldig onderzoek ontdek je altijd vele verstandige, gevestigde en historische bijdragen aan deze vermeende onuitsprekelijke ervaring.

Letters of Evelyn Underhill

Langzamerhand begon ze zijn standpunt te begrijpen. Hij had geen bezwaar tegen het feit dat zij anglicaans was, maar hij vond wel dat ze de wetten van de kerk op de juiste wijze moest aanvaarden en dat zij alle inspiratie in Jezus moest vinden. Zij gehoorzaamde, eerst tegenstrevend, maar daarna steeds vuriger – bijna alsof zij zichzelf wilde bepraten:

Tot ongeveer vijf jaar geleden had ik nooit *enige* persoonlijke belevenis gehad met betrekking tot god. Ik wist niet wat het betekende. Ik was overtuigd theocentrisch en vond de meeste christocentrische taal en gewoonten sentimenteel en bijgelovig... Maar toen ik mij tot de baron wendde... op de een of andere manier *dwong* hij mij, door zijn gebeden of zo, Christus te beleven... Het duurde ongeveer vier maanden – het leek net het gadeslaan van het heel langzaam opkomen van de zon – en plotseling wist je wat het was. Toch bleef ik nog enige tijd overwegend theocentrisch. Maar de daarop volgende twee of drie jaar, en zeker de laatste tijd leek mijn hele religieuze leven en beleven zich steeds meer en steeds levendiger op onze Heer te concentreren... Het lijkt wel of ik mij als het ware steeds meer tot hem moet bepalen...

(ibid.)

Plotinus en Blake wees zij toen af; ze vond dat zij 'geen resultaat opleverden' omdat zij 'trachtten op een niet-menselijke manier mystiek te zijn'. Haar boeken werden zo gericht op het christelijke pad dat ze hun universele kracht verloren (ze probeerde zelfs haar eerdere mystieke boeken te herzien om ze in overeenstemming te brengen met de wensen van de baron). En ze werd ziek; voortdurend, herhaaldelijk ziek, met verlammende astmatische aanvallen, waarbij ze in ademnood kwam.

Tegenwoordig neemt men aan dat dergelijke kwalen een psychische achtergrond hebben. De beangstigende momenten dat ze naar adem snakte, kwamen niet als ze haar weg zocht als mystica, maar als ze zich bepaalde tot één afgebakende uiting van geloof of tot vormen en tot vroomheid.

Ze werd ook blootgesteld aan verlammende periodes van depressiviteit en twijfel. Die volgden herhaaldelijk op een 'verheven' moment, zoals: 'de geest van Christus daalde regelrecht in mijn ziel – alsof die aan alle kanten werd doordrongen' (*Evelyn Underhill*). Hoe meer zij zich op Christus concentreerde, des te meer werd zij heen en weer geslingerd tussen dergelijke verlichte ervaringen en andere momenten zoals die toen zij in een brief schreef:

Een verschrikkelijke, overstelpende achterdocht dat mijn hele 'spirituele ervaring' ten slotte wellicht alleen maar subjectief is... Er bestaat geen echt criterium. Misschien heb ik mezelf al die tijd wel misleid, en door altijd op deze materie te studeren, is autosuggestie afgrijselijk eenvoudig. Deze twijfels zijn een volslagen marteling na wat er allemaal gebeurd is. Zij verlammen je leven aan de wortels als ze eenmaal in je geest neerstrijken.

(ibid.)

Haar longen raakten uitgeput en ze overleed op de leeftijd van vijfenzestig jaar.

Evelyn was geen heilige. Ze was een moedig, sympathiek mens die een heleboel anderen kracht gaf en die ontdekte, zoals sommigen van ons ook wel ontdekken, dat ze twee tegengestelde levens leidde: het uiterlijke leven als getrouwde vrouw in de maatschappelijke omstandigheden van haar tijd (en Hubert heeft nooit iets begrepen van of ook maar gesympathiseerd met haar spirituele aspiraties en haar veel dieper doorvoelde innerlijke leven. Ze deed wat ze kon om die twee in harmonie te houden en vond daarvoor kracht in de steun van de kerk. Maar die soort kracht kan ook zwakheid zijn en de ware mystica in Evelyn was zich daar constant van gewaar, net zoals ze zich ervan gewaar was dat het voor haar moeilijk was de figuur van Christus op te nemen, terwijl ze met god geen moeite had. Je kunt je afvragen of ze niet eerder in India haar spirituele thuis had gevonden dan in Palestina als ze in de tweede helft van deze eeuw had geleefd en niet in de eerste. Was zij zelf een vis op het droge, zoals in haar favoriete analogie?

Niets in de hele natuur is zo mooi en zo krachtig, zo volmaakt thuis in zijn omgeving, als een vis in de zee. Zijn omgeving geeft hem een schoonheid, hoedanigheid en kracht die niet van hem zelf zijn. We halen hem uit het water en meteen hebben we een armzalig, slap, dof ding, nergens goed voor, dat de laatste adem uitblaast. Maar de ziel die in god neerdaalt, een leven van gebed leidt, krijgt kracht, is gevuld, getransformeerd in schoonheid door een vitaliteit en een kracht die niet van hemzelf is.

The Golden Sequence

SIMONE WEIL

'Liefhebben is geen toestand, het is een richting'. Met dergelijke simpele en diepzinnige uitspraken neemt Simone Weil ons onmiddellijk mee van de ene dimensie van denken naar een andere. Zij is een van de grote denkers van deze eeuw, hoewel dat wat zij te zeggen heeft, buiten de meeste conventionele religieuze of filosofische stromingen van denken valt. Er is niets dat vergoelijkt wordt en geen enkele scherp gepunte steen die niet wordt blootgelegd. Zij reikt diep in de beleving van de mens en haar scherpe kant is als het mes van een chirurg, waardoor je diep in de wonden van de mensheid wordt gebracht zodat je nota kunt nemen van toestanden waaraan je in het alledaagse leven wellicht met een gerust hart voorbij gaat.

Degene wiens ziel altijd in de richting van god gaat... vindt zichzelf vastgenageld in het hart van het universum. Het is het ware hart, het is niet in het centrum, het is voorbij tijd en ruimte, het is god. In een dimensie die niet bij de ruimte hoort, ook geen tijd is, maar met recht een totaal andere dimensie, heeft deze nagel een gat geboord door de hele schepping heen, door de dikte van het raster dat de ziel scheidt van god.

Waiting on God

Deze jonge vrouw hongerde zichzelf uit toen ze vierendertig was.
    Als ze in een klooster was ingetreden, zou haar rol als non haar de steun hebben gegeven die ze zo dringend nodig had; maar dit wekte haar tegenzin. Ze kon het nooit eens worden met het christendom, hoezeer zij zich daar ook in thuis voelde, en wel omdat het christendom andere religies afwees. Zij had het gevoel dat de katholieke kerk zich had omringd met het equivalent van een omheining van prikkeldraad waarin geen opening zat. En zo werd ze dus nooit gedoopt, hoewel ze dat

110

heel graag had gewild, en hier zien we een herhaling van de strijd die Evelyn Underhill en Kathleen Raine hebben gekend.

Er is zoveel daarbuiten (de kerk), zoveel waar ik dol op ben en dat ik niet wil opgeven, zoveel waar god van houdt, anders zou het niet bestaan. Al de onmetelijke periodes van voorbije eeuwen, behalve de laatste twintig, zijn daarbij; alle landen die bewoond worden door gekleurde volkeren; alle wereldlijke leven in de landen waar blanken wonen; in de geschiedenis van deze landen, alle tradities die verboden werden omdat ze ketters zouden zijn... de christenen die eigenlijk katholiek zijn, maar eigenlijk ook weer niet. Ik beschouw het mijnerzijds gerechtvaardigd eigenlijk lidmaat te zijn van de kerk, maar in feite ook niet, en niet alleen tijdelijk maar zo nodig mijn leven lang.

(ibid.)

Haar idealisme werd niet alleen gekrenkt door de bekrompenheid van de kerk. Zij was ook beducht dat haar spirituele groei – en die is toch al zo moeilijk – zou worden afgezwakt door 'ergens bij te horen' als ze lidmaat van de kerk zou worden.

Ik ben wat angstig voor het kerk-patriottisme. Met patriottisme bedoel ik het gevoel dat je kunt hebben voor een land op dit ondermaanse. Daar ben ik beducht voor omdat ik bang ben er ook door gegrepen te worden... Ik ben mij gewaar dat ik een heel sterk kudde-instinct heb. Ik ben heel gemakkelijk te beïnvloeden, veel en veel te gemakkelijk – en zeker door een wat grotere groep. Ik weet niet of, als ik nu een groep van twintig jonge Duiters tegenover mij had die in koor nazi-liederen stonden te zingen, een deel van mij niet ogenblikkelijk nazi zou worden. Dat is een grote zwakheid... en ik *weet*, ik ben ervan overtuigd dat een of ander gevoel zoals dat, voor mij absoluut fataal zou zijn... Ongetwijfeld houdt het lidmaat zijn van het mystieke lichaam van Christus een ware vervoering in. Maar tegenwoordig zijn er een groot aantal andere mystieke lichamen die niet Christus als hun voorganger zien, en die

111

brengen eveneens hun aanhangers in vervoering, wat volgens mij precies hetzelfde is.

(ibid.)

Simone werd in 1909 geboren in Parijs als dochter van rijke joodse ouders. Zij was de jongste van de twee kinderen en ze was altijd jaloers op haar broer omdat hij zo knap was. Zij vond zichzelf zo middelmatig dat ze er als jong meisje zelfs over dacht zelfmoord te plegen. Als klein kind bleek ze al een bijzonder karakter te hebben met weinig gemakkelijke compromissen. Tijdens de eerste wereldoorlog gebruikte zij geen suiker opdat de soldaten meer zouden krijgen en tegelijkertijd weigerde ze in de winter kousen te dragen en liep ze met blote benen, omdat ze arme kinderen zo had zien lopen.

Wat de geest van de armoede betreft, kan ik me geen enkel moment herinneren dat ik die niet van binnen voelde... Ik was dol op de heilige Franciscus van Assisi vanaf het moment dat ik ook maar iets over hem had gehoord. Ik dacht altijd en hoopte ook dat het lot mij de toestand van een vagebond en een bedelaar zou opdringen die hij zo van harte omarmde.

First and Last Notebooks

Toen zij opgroeide, begon zij zich te interesseren voor de wetenschap en zij deed op haar vijftiende jaar eindexamen – en kreeg een speciale onderscheiding. Zij studeerde filosofie aan de universiteit en werd vervolgens docente op een openbare school. Ze begon ook artikelen op politiek gebied te schrijven voor landelijke kranten, en haar hele leven nam ze een anarchistisch standpunt in.

Dit zijn de simpele feiten betreffende haar leven, tot zij in 1934 een andere richting insloeg. Ze had het gevoel dat ze niet genoeg contact meer had met gewone mensen en daarmee bedoelde ze handwerkslieden. Ze wilde zichzelf graag op één lijn stellen met de werkende klasse en ook alle lijden van die mensen meemaken. Ze kreeg een jaar verlof en ging als monteur werken in de fabriek van Renault in Parijs. Zij vond een kleine kamer waar ze kon wonen, en vervolgens begon er een jaar van kwellingen. Ze was niet erg sterk en had vaak ondraaglijke hoofdpijn – en ze had trouwens ook een kleine afwijking. Haar handen waren te klein voor haar lichaam zodat typen bijvoorbeeld, erg moeilijk voor haar was. Als monteur leed zij door folterende pijnen en door moeheid en ook door de mensen waar zij tussen moest werken:

Ik wist heus wel dat er een heleboel smart is in de wereld, ik was bezeten van die gedachte, maar ik had er nooit langdurig en uit de eerste hand mee te maken gehad. Toen ik in die fabriek werkte en voor al die ogen, zelfs ook de mijne, niet te onderscheiden was van die anonieme massa mensen, daalde de smart van anderen neer in mijn lichaam en ziel. Er was niets dat mij anders deed zijn. Ik had werkelijk mijn verleden vergeten en ik zag ook geen toekomst omdat ik moeite had me voor te stellen hoe ik mogelijkerwijs alle moeheid kon overleven.

Gravity and Grace

Later, toen dat jaar achter de rug was en haar ouders haar hadden meegenomen naar Portugal, zei ze: 'Ik was als het ware stuk, naar ziel en lichaam. Die aanraking met smart heeft mijn jeugd tenietgedaan.' (ibid.)
Ze ging weer lesgeven, maar ze had er geen plezier meer in. Toen de oorlog uitbrak in Spanje wilde ze, zoals vele andere idealisten, laten zien dat ze solidair was met de arbeiders. Ze ging naar Barcelona, maar ze had niet het plan onder de wapenen te gaan (vermoedelijk een wijs besluit gezien haar totale gebrek aan fysieke behendigheid). Kort na haar aankomst liet zij een pan vallen en kreeg de kokende olie over zich heen. Vanwege haar verwondingen moest ze terug naar Frankrijk. Eenmaal thuisgekomen, stortte ze lichamelijk in en werd nooit meer helemaal gezond. Zij kwam tot de slotsom dat smart een gemeenschappelijke band vormt, dat ook inderdaad iedereen erdoor gebonden is, en dat we ons niet moeten afvragen hoe we die bezoekingen kunnen doen eindigen, maar hoe we ze kunnen behandelen.

113

Lijden, onderwijs en transformatie. Het is niet noodzakelijk dat de ingewijden iets leren, maar wel dat er in hen een transformatie tot stand komt die maakt dat zij in staat zijn de leer te ontvangen.

(ibid.)

In 1938 scheen zij een geestelijke openbaring te hebben gehad, hoewel die al een hele tijd aan het groeien was. Zij ging naar het klooster van Solesmes om de Gregoriaanse gezangen te beluisteren en ze ontdekte dat zij door geconcentreerde aandacht de pijn kon overwinnen die een migraine, waar zij op dat moment aan leed, haar bezorgde:

Ik had vaak barstende hoofdpijn; elk geluid trof mij als een slag. Door een ernstige poging me te concentreren, was ik in staat boven dit armzalige vlees uit te stijgen, dat vlees zelf te laten lijden, op een hoopje in een hoek, en zuivere en volmaakte vreugde te scheppen in de onvoorstelbare schoonheid van de gezangen en de woorden. Deze ervaring stelde mij door de analogie in staat een beter begrip te krijgen van de mogelijkheid goddelijke liefde te ervaren te midden van kwellingen. Onnodig te zeggen dat de gedachte aan het lijden van Christus in de loop van deze diensten voor eens en altijd mijn wezen binnendrong.

Waiting on God

Toen ze in deze medevoelende en verheven stemming verkeerde, ontmoette ze een jonge katholiek die haar liet kennismaken met het gedicht 'Love' van George Herbert. Zij vond dit gedicht, met de suggestie van een verwelkomende goddelijke liefde, zo ontroerend dat ze dit te pas en te onpas begon op te zeggen, totdat ze het gevoel kreeg dat de uitnodiging aan haar persoonlijk gericht was:

Heel vaak, op het hoogtepunt van een hevige hoofdpijn, laat ik het mezelf nazeggen, waarbij ik al mijn aandacht daarop concentreer en me met mijn hele ziel vastklem aan de

114

gevoeligheid die eruit straalt. Ik dacht eigenlijk dat ik het alleen maar opzei als een mooi gedicht, maar zonder dat ik het wist, had het opzeggen de kracht van een gebed. En gedurende een van de keren dat ik het weer opzei, daalde Christus zelf neer en nam bezit van mij.

(ibid.)

Toen de tweede wereldoorlog uitbrak, ging ze naar Marseille. Maar aan haar loopbaan bij het onderwijs kwam een abrupt einde omdat het Vichy-bewind verordonneerde dat scholen en universiteiten geen joden in dienst mochten hebben. Toen begon zij te schrijven en verdiepte zich eveneens in de Bhagavad Gita en de christelijke mystici. Tezelfdertijd koos zij ronduit partij voor het Franse verzet en werd zij gearresteerd, maar later bevrijd, omdat zij opkwam voor generaal de Gaulle. Ze hielp in het geheim bij de verspreiding van een krantje dat werd uitgegeven door een groep radicale christenen en ze nam bovendien een stel Indische soldaten onder haar vleugels die, hangende hun repatriëring, zeer slecht waren gehuisvest. Door aanhoudend te blijven vragen, kreeg zij zelfs gedaan dat de commandant van hun kamp werd overgeplaatst.

In 1941 maakte zij wederom vorderingen op het spirituele vlak. Zij ontmoette een bijna blinde priester, pater Perrin, die in het klooster van de dominicanen in Marseille woonde. Bij hun eerste ontmoeting zette zij een theologische discussie op touw met hem. Misschien was het voor allebei een voordeel dat hij blind was omdat zij er toentertijd merkwaardig excentriek en zelfs deerniswekkend uitzag. Ze was:

mager en bleek, gaf absoluut niets om haar uiterlijk, droeg een oude jas, sandalen, een grote bril met hoornen montuur en een anarchistenbaret. Doordat zij zo ontstellend mager was, zag zij eruit als een gevangene in een concentratiekamp, maar haar gezicht was gaaf en haar mond bijna mooi. Een van de vrienden beschreef haar als 'een schoonheid die schipbreuk heeft geleden'.

Simone Weil

115

Haar vriendschap met pater Perrin resulteerde in vele brieven, waaronder ook haar 'spirituele biografie', brieven die op zekere dag in druk verschenen in haar meest bekende werk, *Waiting on God*.

De volgende stap in haar leven was dat ze landarbeider wilde worden (je kunt je maar weinig meer onwaarschijnlijke baantjes voorstellen), want weer wilde ze leven zoals die mensen, de boeren dus. Door bemiddeling van pater Perrin (hij werd later door de Gestapo gearresteerd) kon zij in huis komen bij een schrijver/boer, Gustave Thibon, en zijn gezin. Thibon had bijna geweigerd toen hij hoorde dat zij een jonge vrouw was die gestudeerd had. Maar hij besloot dat zij voor een proefperiode kon komen en die beslissing verrijkte ten slotte hun beider leven omdat hij haar kwaliteiten ging begrijpen en waarderen.

Bij haar aankomst kregen zij evenwel verschil van mening. Zij vond het huis veel te geriefelijk en wilde buiten slapen. De familie Thibon stond dat niet toe, maar vond wel goed dat ze een vervallen oude schuur aan de oever van de rivier betrok. Het kostte een heleboel moeite dat te regelen, maar Thibon realiseerde zich dat ze niet met opzet moeilijk was; haar nederigheid was zodanig dat ze oprecht geloofde dat iemand van zo weinig waarde als zij niet in staat was problemen te scheppen. En vanaf het begin zag hij een diepte en adel achter de merkwaardige verschijning en het buitengewone gedrag. Ze bleef altijd gespannen, heel vaak reageerde ze zeer heftig en nooit toonde ze naar buiten iets van genegenheid, hoewel niemand eraan twijfelde dat ze die wel voelde.

Ze ging door met bijna niets te eten, en geloofde dat dit de vrijheidsstrijders ten goede zou komen. Thibon merkte op dat zij net zoveel tijd besteedde aan het najagen van ellende als anderen aan het najagen van plezier, en zij schijnt wel degelijk een hekel aan vrolijkheid gehad te hebben. Maar hoewel ze heel weinig at, rookte ze heel veel – een soort inconsequentie die ze zelf nooit heeft begrepen. Na enige weken keerde ze terug naar Marseille en daar schreef ze een van haar belangrijke werken, *Gravity and Grace*.

Gravity and Grace bevat de kern van Simone's opvattingen. Onze alledaagse wereld is – tenzij we spiritueel gerealiseerde

116

mensen zijn – een wereld van louter behoefte, en dat heeft als gevolg dat we naar omlaag worden getrokken in materiële onwetendheid. Hoewel god bestaat en deze wereld heeft geschapen, houdt hij zich met opzet afzijdig. Hij schiep de wereld waarbij hij zijn invloed en tegenwoordigheid deed afnemen, en hij komt alleen nog dichtbij in zeldzame momenten van genade als er een ziel is die een mogelijkheid schept voor zijn tegenwoordigheid, doordat die ziel geen zelf meer bevat en zich in zuivere openheid tot hem heeft gekeerd. 'God trad af door ons het bestaan te geven. Als we dat weigeren, treden wij af en worden, in dat opzicht, gelijk aan god' (*Gravity and Grace*).

In onze gewone toestand, als we niet leeg zijn, gehoorzamen we allemaal aan de vreselijke regels van de neerwaartse kracht en dat houdt in dat we onvermijdelijk onzuiver zijn en besmet met zonde en hebzucht. We proberen aan die toestand te ontkomen door alle mogelijke vormen van plezier en sensatie na te jagen, maar al die pogingen ons onvoorwaardelijke lijden te loochenen en geluk te vinden, zijn gedoemd te mislukken omdat ze gebaseerd zijn op waanvoorstellingen en leugens. We kunnen slechts één ding doen – en dat zou de hele strekking van ons leven moeten zijn – en dat is leren god lief te hebben, niet alleen zonder verlichting, maar *vanwege* het feit dat we geen verlichting kennen.

Het kennen van die tegenwoordigheid van god biedt geen soelaas; het neemt niets weg van de nare bitterheid van smart; en het heelt ook niet de verminking van de ziel. Maar we weten heel zeker dat gods liefde voor ons juist de wezenlijkheid van die bitterheid en die verminking is.

We bezitten niets in de wereld – door een stom toeval kunnen we wel alles kwijtraken – behalve de kracht 'ik' te zeggen. Dat is wat we aan god moeten geven – met andere woorden, teniet moeten doen. Er is beslist niets anders dat we vrijwillig moeten volbrengen – slechts het teniet doen van het 'ik'.

Gravity and Grace

We worden hier evenwel bij geholpen door de schoonheid van de natuur.

De schoonheid betovert het vlees teneinde toestemming te verkrijgen rechtstreeks naar de ziel te gaan.

Als het gevoel voor schoonheid toevallig samengaat met de waarneming van een mens, wordt een mogelijkheid geschapen liefde over te brengen, in elke mate op een illusoire manier. Maar het is alle schoonheid van de hele wereld, universele schoonheid waar we vurig naar verlangen.

(ibid.)

Het allerbelangrijkste voor Simone was dat zij alle vormen van zinsbegoocheling en compensatie uit haar leven bande, die de werkelijkheid van god verduisterden en die, zoals zij dacht, slechts een schuilplaats vormden voor zwakheid en zelfzuchtige hoogmoed.

We moeten de gevoelens opzij zetten die leemtes opvullen en die verzachten wat bitter is. Het geloof in onsterfelijkheid; het geloof in het door de voorzienigheid beschikte regelen van gebeurtenissen – kortweg de 'vertroostingen' die men gewoonlijk in de religie zoekt.

De werkelijkheid van de wereld is het gevolg van onze gehechtheid. We brengen de werkelijkheid van het zelf over op de dingen. Het heeft niets te maken met onafhankelijke werkelijkheid. Die wordt pas merkbaar door volkomen loslaten. Al blijft er maar één draadje over, dan is er nog steeds gehechtheid.

Gehechtheid is niets meer of minder dan een tekort in ons gevoel voor werkelijkheid. Net als god, die zich buiten het universum bevindt en toch tegelijkertijd het middelpunt is, zo denkt elk mens dat hij of zij in het middelpunt van de wereld is. De illusie van perspectief plaatst hem in het midden van de ruimte; tegelijkertijd is er de illusie die hem een verkeerde voorstelling van de tijd geeft; en dan is er nog die andere illusie die zorgt voor de opstelling van een hele hiërarchie van waarden om hem heen.

We leven in een wereld van onwerkelijkheid en dromen. Als we onze denkbeeldige positie als centraal punt opgeven, afzien van die positie, niet alleen verstandelijk, maar in het fantasierijke deel van onze ziel, betekent dit dat we ontwaken voor wat werkelijk en eeuwig is, het ware licht zien en de ware stilte horen. Er vindt dan een transformering plaats aan de wortels van ons waarnemingsvermogen, in onze directe opneming van gevoelsimpressies en psychologische impressies. Het is een transformering, net zoals we in de schemer op een weg plotseling een boom bespeuren waarvan we op het eerste gezicht dachten dat het een voorover buigende man was; of waar we plotseling ruisende bladeren horen waarvan we aanvankelijk dachten dat het fluisterende stemmen waren. We zien dezelfde kleuren, we horen dezelfde geluiden, maar niet op dezelfde manier.

Ons ontdoen van onze onware goddelijkheid, onszelf loochenen, opgeven het centrum van die fantasiewereld te zijn, maar waarnemen dat alle punten in de wereld eveneens centra zijn en dat het ware centrum buiten de wereld is, dat betekent instemmen met de wet van werktuiglijke noodzaak van materie – en van vrije keus in het hart van elke ziel. Die instemming is liefde. Het aangezicht van deze liefde, die naar denkende mensen is gekeerd, is de liefde voor onze naaste; het aangezicht dat naar de materie is gekeerd, is liefde voor de orde van de wereld.

(ibid.)

En zo leren we uit *Gravity and Grace* dat de werking van genade bestaat uit 'ontscheppen'. We moeten leegte aanvaarden, zorgen dat we open en weerloos zijn en bovenal moeten we ervoor zorgen onze verbeeldingskracht, 'die onafgebroken tracht de kieren te dichten waar de genade doorheen stroomt', af te remmen. Elke herinnering en hoopvolle gedachte verschaft voedsel voor de verbeeldingskracht en op die manier blijven we vluchten voor de leegte. Zonder dit werkelijke 'opruimen' van het zelf, deze 'onvoorwaardelijke instemming niets te zijn', blijft elke handeling, hoe nobel dan ook, onderworpen aan de wet van de onjuistheid.

119

Er zijn twee manieren om het zelf uit te schakelen. De ene manier is door liefde, en de andere door smart en vernedering. Simone wijst erop dat er wel zwervers en prostituées zijn die niet meer gevoel van eigenwaarde hebben dan heiligen. Zij hebben het zelf uitgeschakeld, maar zij maakten de fout die vernietiging zelf tot stand te brengen en dus god te beletten dat te doen met zijn liefde.

We kunnen god niet vinden door onze wilskracht, zegt zij – de wil is alleen bruikbaar om deugdzaam te zijn in deze wereld. In plaats van de wil te gebruiken, is het beter volledige aandacht te schenken:

We moeten onverschillig zijn voor goed en kwaad, *werkelijk* onverschillig; dat wil zeggen, we moeten het licht van de aandacht gelijkelijk op allebei laten schijnen. Dan zal het goede door een automatisch fenomeen zegevieren.

(ibid.)

Met andere woorden, we moeten op een punt van zelf-lediging komen waar de goedheid spontaan te voorschijn komt. Dergelijke oplettendheid verheft ons boven tegenstellingen en voorkeur – 'Voorkeur, een neiging die op een laag peil staat'. Zolang er enige aarzeling is, zelfs als je het goede kiest, is er nauwelijks verschil tussen goed en kwaad. Slechts als het goede de uiting is van een behoefte wordt de leegte tot stand gebracht.

Oplettendheid leert ons ook hoe we de misleiding van de tijd kunnen vermijden. Door aandacht te schenken aan het zuivere moment van het nu, voorkomen we dat verleden en toekomst ons leven beheersen.

Oplettendheid bestaat uit het wantrouwen van ons denken, het onbevangen laten voor wat het is, leeg, en klaar om het niet-ik te laten binnenstromen... En bovenal moet ons denken leeg, afwachtend zijn en niet op zoek naar iets.

(ibid.)

Nadat Simone *Gravity and Grace* had geschreven, drongen haar

120

ouders erop aan dat ze hen zou vergezellen naar Amerika en ze voelde zich verplicht mee te gaan. De oorlog was in volle gang en als joodse vrouw had zij geen werk. Maar toch vertegenwoordigde Amerika voor haar alles wat vrijgevochten en uitbuitend was en ze had dan ook absoluut geen lust daarheen te gaan. Ze was een veel te links-georiënteerde intellectueel om ook maar te dromen van materieel welzijn en geld verdienen speelde geen rol in haar leven. Daar kwam nog bij dat ze de Franse verzetsbeweging wilde helpen.

Zodra het gezin in 1942 in New York aankwam, trachtte zij bij die beweging te komen. Maar daarvoor moest ze naar Londen en het was haar vaste voornemen dat ook te doen. Ze vond Amerika net zo vreselijk als ze gedacht had en de brieven die ze haar vrienden schreef, zijn vol leed.

Uiteindelijk kreeg ze toestemming te vertrekken en tegen het einde van 1942 kwam ze in Londen aan. Ze wilde dolgraag een opdracht in Frankrijk uitvoeren en meldde zich als vrijwilligster om per parachute neergelaten te worden maar vanwege haar joodse uiterlijk vond men dat een onmogelijkheid. In plaats daarvan vroeg men haar college te geven en een memorandum te schrijven over wat er in het na-oorlogse Frankrijk moest worden herzien – het bleek een opmerkelijk document te worden betreffende de verantwoordelijkheden van het burgerschap, uitgegeven onder de titel *The Need for Roots*.

Gedurende die periode at zij te weinig en werkte te hard, met het gevolg dat ze zo verzwakte dat ze in het ziekenhuis moest worden opgenomen. Men schreef haar absolute rust voor. Maar ze wilde nog steeds niet eten – mogelijk dat we tegenwoordig zo'n wens tot hongerlijden met anorexia zouden betitelen. Ze raakte zo uitgeput dat ze niet veel kon lezen of schrijven, maar ze vroeg wel haar naar het platteland te brengen om daar te sterven. Haar beide longen waren aangedaan, maar toen zij in 1943 stierf, gaven de doktoren vrijwillige uithongering als doodsoorzaak op. Ze werd begraven in Ashford, Kent.

Na haar dood, terwijl er steeds meer vraag was naar haar boeken, werd haar ziel door verscheidene stromingen opgeëist. Gustave Thibon en pater Perrin schreven een boek over haar

121

en maakten gewag van het feit dat zij, hoewel niet gedoopt, een waarachtig christenmens was. Maar haar warme belangstelling voor andere religies werpt twijfel op deze bewering. Men noemde haar wel een onkerkelijke heilige, de voorbode van een godsdienstloze christelijkheid. En haar belangstelling voor de Katharen, toen ze bij de familie Thibon verbleef, heeft meer dan één kenner doen geloven dat haar hart in werkelijkheid bij de gnostici was, christelijke ketters van wie de Katharen ideeën overnamen.

Ze had inderdaad grote bewondering voor de Katharen en:

Zij leefden volgens hun leer die uit het platonische denken en de Griekse mysteriën putte, en die het grote belang van de evangeliën dermate benadrukte dat de joodse achtergrond van het christendom werd weggevaagd. Gegeven haar eigen neiging en de nadrukkelijke manier waarop ze de oude Hebreeërs (samen met de Romeinen) bestempelde als voorbeelden van de Antichrist... vond Simone Weil in de overblijfselen van de traditie van de Katharen denkbeelden en waarden die haar meteen aanspraken.

Simone Weil

Ze werd daar eigenlijk zo door gegrepen dat ze misschien haar manier van sterven wel koos op grond van het voorbeeld van deze Katharen die door de hoogste mystieke inwijdingen en het verkrijgen van belangrijke inzichten Perfecta, leiders van de gemeenschap, waren geworden.

Er was een bepaalde ceremonie waar de Perfecta aan toegaven. Dat was de Endura. Sommigen van de Perfecta leefden hun leer tot het bittere einde (haat van het lichaam) en pleegden weloverwogen zelfmoord door middel van de hongerdood. Het hele proces vond plaats tijdens het vieren van een ritueel en het feitelijke doodsbed was een plek van verheugenis... waarbij de stervende man of vrouw met eerbiedige bewondering werd bejegend.

(ibid.)

Of dit Simone nu tot voorbeeld diende of niet, zij blijft zowel bij haar leven als na haar dood altijd een mysterie en een paradox. Ze heeft vele volgelingen, maar delen die werkelijk haar afschuw van joden, van de Romeinse beschaving en van het eigen lichaam? Delen die haar terugdeinzen voor vreugde en geluk, haar volkomen zelfverloochening, haar vreemde en misschien masochistische verlangen naar lijden en kwellingen, haar gebrek aan humor, haar leven van alleen maar werken, zonder enige vrijheid? Waarschijnlijk niet. Maar wellicht willen ze graag delen in de oorspronkelijkheid, de persoonlijke autoriteit die tot stand wordt gebracht door de waarden van de samenleving te verwerpen en alleen te staan, de toegewijde intensiteit en moed alles op te offeren voor de waarheid. Hier is haar eigen gebed dat ze in New York schreef, aan de vooravond van haar vertrek naar Londen, en dus ook vlak voor haar dood:

Vader, omdat u het goede bent en ik de middelmatigheid, scheur dit lichaam en deze ziel los van mij om ze te maken tot iets dat u kunt gebruiken, en laat niets van mij achterblijven behalve dat losscheuren zelf, of anders leegte.

(ibid.)

AYYA KHEMA

'Toen ik zesendertig was', zegt Ayya Khema, 'werd ik mij bewust van het feit dat ik een spiritueel pad moest vinden'. Dat zal sommigen van ons zeker bekend in de oren klinken. Het lijkt wel of er een nieuwe dimensie aan ons leven wordt toegevoegd als we halverwege de dertig zijn. Dat kan plotseling duidelijk merkbaar zijn, of het komt heimelijk, maar als die dimensie er eenmaal is, valt die ook niet te ontkennen. Wat is dat? Het blijkt een behoefte te zijn – dikwijls vele jaren latent aanwezig, maar nooit helemaal verdwenen – aan essentiële klaarheid en perspectief, alsof we de zaken objectief willen bezien, in hun wezen, misschien wel transcendentaal. Eigenlijk een andere manier van zien dan onze gebruikelijke, afwerende, kortzichtige kijk op de dingen waardoor niet alleen het perspectief, maar ook de betekenis van de dingen wordt vervormd.

En een ingeboren stukje van ons erkent inderdaad dat die manier van zien, als we die eenmaal hebben gevonden, het negatieve in ons leven, de wanhoop, woede, wrok, fundamentele eenzaamheid en angst uitroeit.

'Ik zocht een pad dat zowel mijn hart als mijn verstand tevredenheid kon schenken; een pad dat niet in strijd zou zijn met mijn rationele denken, zodat ik mij er met toewijding aan kon overgeven. Ik probeerde veel spirituele paden. Ik ging naar India, naar de Aurobindo ashram waar de moeder mij leerde mediteren. En ik bezocht de ashram van Ramana Maharshi, waar ik met de hulp van zijn tolk, Arthur Osborne, Advaita bestudeerde. Tien jaar lang bleef ik mediteren terwijl ik met mijn kinderen het leven leidde van een doodgewone huisvrouw.

In 1973 maakte ik voor het eerst kennis met de leringen van het Theravada-boeddhisme en dat was zo rationeel, praktisch en pragmatisch – het spreekt mij aan pragmatisch te zijn – dat het mij zeer aantrok. Ik ging luisteren naar een Theravada-monnik. Daar zittend in zijn gele gewaden legde hij de Vijf Overpeinzingen uit (stelregels voor de leek). In de Tien

Geboden hebben we die regels talloze malen gehoord. En toch hebben de Tien Geboden me nooit iets gezegd, terwijl ik van de Vijf Overpeinzingen onmiddellijk het gevoel had dat ze juist en passend voor mij zijn. Ik ben er dan ook van overtuigd dat ik vele levens als boeddhist heb geleefd want toen ik die eenvoudige woorden hoorde, wist ik onmiddellijk dat het goed was, dat het precies was wat ik wilde.

Een paar jaar later ging ik naar Birma en Thailand waar ik gedurende de regentijd in retraite ging. Op die manier kwam ik erachter hoe nonnen leven. Uiteindelijk kwam ik in Sri Lanka en bemerkte dat dit voor mij, als Engels sprekende vrouw, de logische plaats was voor mijn volgende stap. Er wordt daar veel Engels gesproken en de vrouw heeft er een betere positie dan in Thailand'.

In 1978 had Ayya Khema een stuk land gekocht in Australië om daar een boeddhistisch klooster te vestigen en in 1979 ging ze naar Sri Lanka. Maar voordat we verder gaan met haar geschiedenis, kunnen we beter eerst zien wie Ayya Khema is en waar ze vandaan kwam.

Ayya Khema werd in 1923 in Berlijn geboren. Haar ouders waren joods en net als Toni Packer, had zij een jeugd vol angst en nare voorgevoelens. Haar ouders konden elk moment opgepakt worden en zij zou wellicht naar een van de plaatsen worden gestuurd waar joden nooit meer van terugkeerden. 'De joden zijn inderdaad een ras', zei Hitler, 'maar het zijn geen mensen'. In 1937 vluchtte ze met een transport van tweehonderd kinderen die naar Glasgow in Schotland werden gebracht. Haar ouders zagen eveneens kans weg te komen uit Duitsland en kwamen uiteindelijk in China terecht. Twee jaar later werd Ayya in Sjanghai met hen verenigd.

Maar haar problemen behoorden niet tot het verleden. Er was oorlog en Japan had China bezet. Zij werd, met haar ouders en alle andere joodse vluchtelingen, in een Japans krijgsgevangenkamp ondergebracht en hier is haar vader gestorven. De omstandigheden waren zeer slecht en velen stierven daar dan ook. Ze was bijna tweeëntwintig toen het kamp door de Amerikanen werd bevrijd, maar daarna duurde het nog vier jaar voordat ze toestemming kreeg naar Amerika te gaan.

Na verloop van tijd trouwde zij en kreeg een zoon en een dochter. Ze ging met haar gezin naar Australië en daar verbleef ze enige jaren op een boerderij waar ze in eigen behoeften voorzagen en Shetland pony's fokten. Ze heeft nog steeds dat onverschrokkene en onafhankelijke wat waarschijnlijk een gevolg is van de moeilijke omstandigheden waarin zij vele malen in haar leven verkeerde. 'Geducht', dat is het woord dat je te binnen schiet als je Ayya Khema ontmoet – een woord dat volgens het woordenboek zowel ontzagwekkend als heldhaftig betekent.

Na zo'n leven zouden de meeste mensen ergens rustig willen neerstrijken, maar zo niet Ayya Khema. Tussen 1960 en 1964 trok ze met haar man en haar zoon heel Azië door, met inbegrip van de Himalaya. In die periode heeft ze leren mediteren. Tien jaar later, toen haar kinderen bijna volwassen waren, begon ze in Europa, Amerika en Australië meditatie-cursussen te leiden.

Haar eigen ervaringen op het gebied van meditatie verdiepten zich en dat leidde ertoe dat zij in 1979 in Sri Lanka tot boeddhistische non werd gewijd onder leiding van een vermaarde monnik en meditatie-meester. Ze kreeg de naam 'Khema' ('Ayya' betekent 'zuster') en dat betekent veiligheid en beschutting – wellicht sprak dat haar het meeste aan.

In de school van het Theravada-boeddhisme bestaat er net zoveel weerstand tegen vrouwen die een volledige inwijding ontvangen, en die daardoor gelijk zijn aan de monniken, als in het christendom tegen volledig bevoegde vrouwelijke geestelijken. Hoewel vrouwen ten tijde van de Boeddha door de Boeddha zelf werden ingewijd en hij nadrukkelijk verklaarde dat er betreffende de verlichting geen enkel verschil bestaat tussen mannen en vrouwen, had die uitspraak voor de nonnen – 'bhikshunis' – al snel geen invloed meer, en zo is het ook altijd gebleven. In het Mahayana-boeddhisme is dat niet zo en men vindt daar dan ook vele ingewijde vrouwen, maar die school vond Ayya Khema niet aantrekkelijk. Zij voelde meer voor de eenvoudige praktische gerichtheid van Theravada en daarbij wilde zij ook non zijn. Zij heeft nog steeds niet alle inwijdingen ontvangen, maar ze heeft aangenomen wat ze mocht aannemen, de Tien Overpeinzingen (grondbeginselen voor de ingewijden: 'in Thailand mogen vrouwen er slechts acht aannemen. Ze worden daar zelfs geen nonnen genoemd, maar "dames in het wit"'); en verder - gaat ze er stilzwijgend aan voorbij. Ze negeert beledigingen van monniken en onvoldoende steun van leken. Ze gaat rustig door met lesgeven en het leggen van de basis voor een nonnenorde.

'Mij maakt het niet uit of ik dit of dat ben, maar ik vind dat vrouwen moeten kunnen kiezen waar ze bij willen horen en daarom geef ik mijn stem aan degenen die om volledige inwijding vragen. Voor mijn eigen verlossing maakt het niet erg veel verschil omdat de zuiverheid van hart en geest het enige is dat werkelijk van belang is'.

In *Meetings with Remarkable Women* door Lenore Friedman wordt ze beschreven als iemand die eruit ziet als een glimmende bes met haar geschoren hoofd en gele gewaden – 'zowel zuur als zoet'. Ze mag er dan uitzien als een bes, maar je kunt haar ook vergelijken met een kleine bulldozer die het pad effent waarover zij wil gaan. Mettertijd zal ze wellicht een ommekeer teweegbrengen in de hele monnik-non verdeeldheid. De regering van Sri Lanka gaf haar een eiland voor de kust van Sri Lanka, dat zij 'Nonneneiland' noemde. Zij vestigde daar het eerste boeddhistische nonnenklooster voor zowel oosterse als westerse vrouwen en met een volledig vrouwelijke leiding. Als abdis en inwonende docente biedt zij vrouwen de gelegenheid tot een retraite van drie maanden, met daarbij de mogelijkheid het kloosterleven te ervaren zonder toe te treden als non.

Zij houdt een lezingencyclus over de harmonisatie van de Theravada-instellingen en als dit wat herrie veroorzaakt, vindt zij dat het gerechtvaardigd is. In 1987 belegde zij de eerste internationale conferentie van boeddhistische nonnen in de geschiedenis van het boeddhisme. Dat was in Bodh Gaya in India, de geëerbiedigde plaats van de verlichting van de Boeddha, en de Dalai Lama was de belangrijkste spreker. Het gevolg van deze conferentie was dat de Sakyadhita werd opgericht, een wereldomvattende boeddhistische vrouwenorganisatie die het opnam voor het weer instellen van de vroegere toestand van volledig ingewijde nonnen. Ayya Khema heeft dit nog niet naar voren gebracht in de vergadering van de Verenigde Naties, maar zij is een frequente spreekster, dus wie weet?

Zij is tegenwoordig over de hele wereld bekend en de leer die zij verkondigt, is heel eenvoudig en duidelijk. Volgens haar moet het pad naar spirituele groei onafhankelijkheid inhouden:

Emotionele onafhankelijkheid moet samengaan met liefde. Als je alleen maar liefde zoekt, ben je emotioneel afhankelijk en je bent dan ontevreden omdat je niet hebt wat je eigenlijk wilde. Als je krijgt wat je wilt, is het waarschijnlijk niet in de juiste betekenis. En als het wel zo zou zijn, is het niet bestendig genoeg. Het is veranderlijk. Het zoeken naar liefde is een volslagen onbevredigend streven en zal nooit voldoening schenken. Soms werkt het en soms ook niet. Maar wat altijd werkt, is *liefhebben*. Dat brengt emotionele onafhankelijkheid en tevredenheid. Anderen liefhebben is niet alleen mogelijk als dat door een andere persoon wordt aanvaard, maar eveneens bij andere gelegenheden. Anderen liefhebben heeft met die *anderen* niets te maken. Anderen liefhebben is een hoedanigheid van ons eigen hart.

Tevredenheid is dus afhankelijk van onze liefde, van het scheppen van een harmonisch gebied binnen ons eigen hart. Dat harmonische gebied moet, net als een mooi stuk land vol bloemen, liefde bevatten, emotionele onafhankelijkheid, tevredenheid met jezelf zoals je bent; niet het zoeken naar liefde of goedkeuring, maar eerder het geven van goedkeuring en liefde. Het is allemaal zo eenvoudig. Het werkt inderdaad. Het moet ook werken. Hoe zou het anders moeten? Dit vormt edelmoedigheid in jezelf. Het werkt omdat het een gave is.

Soms voel je je lichamelijk niet goed. Dat is geen reden voor ontevredenheid. 'Ik ben van een soort die ziek kan worden'. We zingen het iedere avond. Dat wil niet zeggen dat ik er ongelukkig en ontevreden van moet worden. Het zit in de aard van het lichaam. Het lichaam voelt zich niet goed – dat is alles. Het lichaam heeft wat problemen. Het lichaam heeft altijd problemen. Bij andere gelegenheden denken we wellicht dat het ons aan iets ontbreekt. Laat de geest maar denken dat we ergens behoefte aan hebben. Dat betekent niet dat we betrokken hoeven te raken bij die wensen. Als we de *dukkha* (het lijden) gaan geloven, dat door lichaam en geest wordt opgewekt, zullen we nooit tevredenheid kennen. Waar kun je die dan wel vinden? Je vindt haar niet in gebouwen, in de natuur of in andere mensen. Tevredenheid heeft slechts één rustplaats en dat is in ons eigen hart. En zij heeft geen andere basis dan de wetenschap dat het geven van liefde en goedkeuring een gebied van harmonie om ons heen schept en ons een gevoel van tevredenheid geeft. Dat is verstandig leven.

Verstandig leven is iets dat we kunnen oefenen. Het kan alleen maar als we onszelf vergelijken met anderen. Als we geen spiegel hebben, hoe kunnen we dan weten hoe we eruitzien? We hebben de spiegel van vergelijking nodig, de weerspiegeling van ons eigen wezen in anderen. Dan kunnen we onszelf zien. Als we met iemand anders in disharmonie zijn, is dat een weerspiegeling van ons eigen spiegelbeeld. Je kunt niet met anderen in disharmonie zijn als je zelf harmonisch bent. Dat kan niet. Ons eigen spiegelbeeld liegt niet.

Be an Island unto Yourself

Dit is stellig het ware pad van niet-gehechtheid. Voor een boeddhist betekent niet-gehechtheid niet dat hij zich moet afzonderen van de wereld van alledag, maar het betekent dat hij zijn macht over voorwerpen, mensen en gebeurtenissen moet loslaten. Het houdt in dat hij realistisch moet zijn, aanvaarden wat op zijn pad komt, plooibaar moet worden. Als je niet flexibel bent, houd je bij voortduring nieuwe gebeurtenissen tegen, maar niet-gehechtheid betekent volkomen in het nu leven door de feiten volledig te onderkennen en de waarheid ervaren van wat er allemaal is. Dat is het 'aanvaardingsproces'.

Meditatie is van groot belang om niet-gehechtheid te verkrijgen, maar Ayya Khema is realistisch omtrent het vermogen van de mens om te mediteren.

Met ontevredenheid en onvoldaanheid in het hart is mediteren niet mogelijk. Het is de bedoeling dat het mediteren ons blij maakt. Maar helaas kunnen we helemaal niet mediteren voordat we op zijn minst een heel klein beetje blij

129

zijn. Slechts een blije en vrolijke geest, een tevreden geest, kan het denken loslaten.

'Bij alles wat we doen – ongeacht wat het is – is het alleen maar van belang hoe we het doen. Het maakt niet uit of we een boek schrijven of worteltjes schrappen. Dat maakt totaal geen verschil. De massa wil dat niet geloven. Die denkt dat een boek schrijven veel en veel belangrijker is dan het schrappen van een paar worteltjes. Het maakt niet uit wat je doet, maar hoe je het doet.

Tenzij je jezelf helemaal inzet voor wat je doet, kan er geen oprecht streven zijn. Je kunt het niet uitzoeken. Als je één ding uitkiest dat je met je hele hart doet en iets anders niet, dan ontstaat er stagnatie. Kies niet zelf de mensen uit van wie je wilt houden. Kies niet zelf de lessen uit die je wilt onthouden. Kies niet zelf de regels uit waar je je aan wilt houden. Iedere keer dat je iets afwijst, afdankt of negeert, ontstaat er stagnatie en die zet de meditatie stop. Wees oprecht en volmaakt in je pogingen. We moeten van iedereen houden. We moeten aandacht schenken aan alle handelingen, aan alles wat er gebeurt. Alle regels moeten worden nageleefd'.

Voor Ayya Khema is meditatie het belangrijkste pad dat naar verlichting leidt. Zij spreekt over twee richtingen in de meditatie, de ene leidt tot stilte en de andere tot inzicht.

'Je kunt alleen maar een goed inzicht in de werkelijkheid krijgen als de geest stil genoeg is en niet wordt gehinderd door bijkomstigheden. Iedereen zoekt naar rust en die stilte moeten we in ons dagelijks leven invoeren. Maar het mag nooit het enige doel van meditatie zijn – het is slechts het middel waardoor inzicht wordt verkregen.

De stilte komt als de geest ophoudt zich met gedachten bezig te houden. Een geest die niet door gedachten wordt gestoord, is een geest die ervaart zonder dat er woorden of voorstellingen aan te pas komen. Iedereen die mediteert, kent een gevoel van eenheid, een gevoel dat zich van binnen een of andere zuivere eenheid ontvouwt. De geest heeft hoedanigheden die onbekend zijn bij mensen die niet mediteren of contempleren.

Er heerst een toestand van grote stilte waar de geest niet hoeft te denken of te handelen. We kunnen het beschouwen als een filmscherm. De film kan alleen maar vertoond worden als er een scherm is. Maar de eerste keer dat we geen aandacht voor de film meer hebben – en die film is ons leven in al zijn verscheidenheid – en alleen nog het scherm achter de film zien, zijn we doorgebroken naar een ander gewaarzijn. Een geest die niet door gedachten wordt afgeleid en eventuele gedachten laat gaan, wordt gelukzalig. Eén seconde daarvan is een seconde van loutering omdat er geen haat of hebzucht is. Dat moment van loutering werkt opbouwend en er doet zich dan ook steeds minder haat en hebzucht voor, en uiteindelijk ontstaat er in ons dagelijks leven steeds meer stilte en vrede. Die toestand kunnen we te allen tijde opnieuw bereiken. We kunnen een innerlijke werkelijkheid en zekerheid vinden die we als schuilplaats kunnen gebruiken, ongeacht wat de wereld ons aandoet. Dat is een geruststellende gedachte. De geest is heel kwetsbaar en moet dus voorzichtig worden aangepakt. De geest heeft een plaats nodig om te rusten. Als we slapen, dromen we en is er geen rust. Overdag denken we en dan is er net zo min sprake van rust. Dus we moeten het kleinood dat we bezitten, rust gunnen door onze gedachtenstroom los te laten, en te mediteren.

We moeten ook oefenen onze geest in bedwang te houden. Als iemand onaardig tegen ons is, kunnen we onze geest laten weten dat het zo genoeg is. We kunnen dan denken en handelen op de manier zoals wij dat willen in plaats van het slachtoffer te zijn. Als onze geest ons een poets bakt waardoor we worden beetgenomen, zijn we allemaal slachtoffers. We zijn dan volslagen vastgezet. Maar meditatie is nou juist de training die ons meester over de geest maakt, zodat we vrij en onafhankelijk zijn.

Toen ik met mediteren begon, dacht ik dat het te moeilijk was. Maar ik ging ijverig verder. Het is hoogst noodzakelijk vlijtig te zijn en regelmaat in te voeren – het is uiterst moeilijk de geest te stillen. Ik heb in mijn praktijk gezien dat er meer mensen zijn die wél kunnen mediteren dan die het niet kunnen, maar je moet blijven oefenen. Je moet ervaren dat de geest tot rust komt, en dat leidt vervolgens tot spiritueel inzicht. Als je geen leraar hebt, lijkt het allemaal een doolhof – een leraar spaart inderdaad een heleboel tijd.

Meditatie is een training in opmerkzaamheid, en dat is gewaarzijn zonder waardebepaling. Bij onze meditatie maken we gebruik van de adem. Een bewuste ademhaling helpt ons hier te zijn, nu. De geest is altijd aan het tobben over de toekomst en vergeet ook het verleden niet, maar oplettendheid ten opzichte van de adem van het moment levert het gewenste resultaat op. Er is geen plaats voor zorgen en vrees, want als je je werkelijk concentreert op de ademhaling en op wat daar gebeurt, is er echt geen plaats voor iets anders. De geest is dan geheel vervuld van wat er in feite gebeurt – je zou dat opmerkzaam kunnen noemen.

Ik doceer drie methoden om te leren mediteren. De eerste is: op de inademing, adem vrede in – neem de adem uit de lucht om je heen, uit de bomen, de hemel.

Op de uitademing, adem liefde uit en omgeef jezelf daarmee.

Op de volgende uitademing, zend die adem naar de mensen om je heen en zelfs nog verder.

De menselijke geest krijgt wel eens genoeg van een bepaalde methode en dan stap ik over op een andere. De tweede methode houdt in dat je je ervan gewaar moet worden hoe je zit, de lichamelijke gevoelens die zich daarbij voordoen. Keer je naar binnen en word je gewaar van wat waar dan ook opkomt. Merk alleen maar op. Ga bijvoorbeeld naar je vingertoppen en je tenen en laat dan weer los. Laat de fysieke gewaarwording los en de spirituele eveneens. Laat los zonder verdere reactie.

De derde methode houdt in dat je je gewaar moet worden van de adem zoals die naar binnen gaat en weer naar buiten komt – en van niets anders. Als je ergens iets voelt – een voet of hand of je hoofd – ga dan in gedachten naar die plek en laat los. Geef iedere gedachte die opkomt, een etiket. Word zelf de waarnemer en geef je gedachten een naam, wat ze ook doen.

Deze drie methodes kun je afwisselen. Het is van belang aandacht te schenken aan wat voorbij komt in de gedachten. Neem notitie van opgewekte emoties, geef ze een etiket, schenk ze alle aandacht en laat ze dan los'.

Ayya Khema ziet zichzelf als een op de praktijk gerichte mystica.

'Ik heb me in zen verdiept – daar ging ik voor naar Amerika – maar ik was er bepaald niet van onder de indruk omdat zij de woorden van de Boeddha niet doorgeven en niets van hem citeren. Dat sprak me dus niet zo aan. En een andere factor die me tegenstond, is de zeer strenge discipline die in de beoefening van zen ligt besloten. Niet dat ik geen discipline wil aanvaarden – je kunt zonder discipline niet leven – maar de vorm van discipline die ik zag, was erg op het fysieke gericht, en ik vind het lichaam niet zo belangrijk. Ik bleef me dus concentreren op het Theravada-boeddhisme.

Nadat ik ongeveer vijfentwintig jaar aan het mediteren heb gewijd, waarvan de laatste negen jaar op een zeer intensieve manier, ben ik tot de overtuiging gekomen dat je mijn meditatieve ervaringen als mystieke ervaringen kunt beschouwen. En nadat ik meester Eckhart en de heilige Theresa van Avila had gelezen, begreep ik dat zij met hun benadering vanuit het christendom dezelfde waarheid in hun mystieke ervaringen vonden als die ik heb leren kennen als meditatieve werkelijkheden. En ik ben dus tot de conclusie gekomen dat elke belijder van een geloof, welk geloof dan ook, uiteindelijk tot dezelfde soort opvatting komt, ook als die tot uitdrukking wordt gebracht in de woorden van een bepaalde religie. Ik denk eveneens dat het, om de leringen van de stichters van belangrijke religies te verwezenlijken, hard nodig is om zodanig contemplatief, meditatief in jezelf gekeerd te zijn dat deze je naar een ander niveau van bewustzijn leiden. En naar een zekere zuiverheid van zijn – van zijn in deze wereld. Ik geloof ook dat zowel Boeddha als Jezus Christus contemplatief en sociaal geïnteresseerd was. Sociaal op een zeer gedecideerde manier, zij waren allebei hervormers. Ik denk dat dit een combinatie is die openstaat voor de mysticus en deze brengt hem of haar in de belangrijkste stroming van het dagelijks leven, waar hij of zij ook het meeste goed kan doen.

De mystieke ervaring, door contemplatie of door meditatie, brengt ons op een niveau van gewaarzijn dat deze wereld niet achter zich laat, maar die wereld toont in een ander licht. Met andere woorden, de mysticus hoort een andere drummer. En omdat zij ons een andere dimensie verschaffen, zouden we ongelukkiger en armer zijn als dergelijke mensen niet in iedere

133

beschaving en in elke periode in de geschiedenis aanwezig waren. Daar ben ik zeker van. Zij geven ons een dimensie die insluit dat we boven de wereld uit kunnen stijgen – niet door die wereld te verlaten, maar door alles te zien zoals het werkelijk is. Ik denk dat er nooit een religie zou zijn als de stichter niet een mysticus was met een onbegrensd bewustzijn'.

DADI JANKI

Hoog boven de vlakten en bossen van Rajasthan in het noordwesten van India verrijzen de Aravallibergen. De grootste is de Abuberg, waar eens de koningen hun zomerpaleizen bouwden. Behalve koningen kwamen er ook sannyasins (verzakers van de wereld), pelgrims en kluizenaars, die op de Abuberg een rustplaats voor de geest vonden. De berg kreeg dan ook bekendheid als een heilige berg.

Overal op het heuvelachtige plateau zijn rotsige grotten, holen en spleten in de berg waar de sannyasins in hun golvende oranje-gele gewaden zitten te mediteren. Aan de kant van de weg zitten de sadhu's, volgelingen van Shiva of Vishnu, met hun golvende lange haren en onverzorgde, gescheurde gewaden. Het lijkt alsof ze in trance zijn, maar 's morgens vroeg baden ze in het gewijde meer dat in het het hart van de Abuberg ligt.

Het Nakkimeer is een kunstmatig meer. Waarschijnlijk liet een van de rijke prinsen het uitgraven, maar volgens de legende werd het uitgegraven door de vingernagel van een god. Rondom het meer liggen beroemde tempels en ashrams. In Dilawara, de Jaintempel uit de elfde eeuw, tref je rond de koele marmeren vloeren het mooiste marmeren kantwerk aan dat ooit ergens te zien was – dieren, processies en godheden. Hier vind je ook de ashram van Vimala Tharka, een vermaarde vrouwelijke wijze, schrijfster en vriendin van Krishnamurti.

Madhuban, de ashram waar het in dit hoofdstuk over gaat, ligt zowat honderd meter van het meer verwijderd naast een oerwoud-achtige heuvel waar je af en toe tijgers ziet. Het is een ruim modern complex van schitterende witte gebouwen die worden omgeven door een hoge muur. Er is slechts één ingang die altijd wordt bewaakt. Iemand die er voor het eerst komt, zou wel eens een beetje het gevoel kunnen krijgen in een gevangenkamp te zijn. Deze vrees wordt evenwel snel verdreven door de warmte en gastvrijheid van de hindoese nonnen die de huishouding bestieren, en die er nu wel aan gewend zijn dat westerlingen zich 'vrij' willen voelen. Madhuban is de ashram van de Brahma Kumaris (dochters van Brahma) World Spiritual University die nu overal wel bekend is en in bijna alle landen bloeiende afdelingen heeft. In 1980 werd de University opgenomen in de Verenigde Naties en kreeg een adviserende status in de Economic and Social Council. In 1988 won de University de United Nations Peace Medal en de Peace Messenger Award. Er is nu een algemene vredeszaal gebouwd die drieduizend mensen kan bevatten en elk jaar huisvest de ashram vredesconferenties, televisiedebatten en onderwijsprogramma's.

Dadi Janki (Dadi betekent oudere en wijzere zuster) is een van de medeoprichters van de universiteit en haar verhaal bergt de hele geschiedenis en betekenis van het bestaan van de universiteit in zich. Zij werd bijna zeventig jaar geleden geboren in Sindh (nu een deel van Pakistan) als dochter van rijke, zeer religieuze ouders. Zij kan zich nog het bezingen van de namen van god herinneren, en als klein meisje werd haar al opgedragen de Upanishads uit het hoofd te leren. Er kwamen rondtrekkende sadhu's en rishi's (heiligen en wijzen) logeren in de speciale ruimten die haar oom op zijn land had laten bouwen en waar zij gebruik van mochten maken. Dadi had lange gesprekken met hen waarbij zij haar vertelden wat zij van het universum wisten, en toen ze ouder was, ondernam ze zelf bedevaarten naar heilige plaatsen om dieper inzicht te verkrijgen.

In 1937 was ze een jonge vrouw van negentien jaar. De Indiase wereld stond voor haar open. Zij raakte betrokken bij de politiek en ze had gemakkelijk een carrière kunnen opbouwen als lid van het Indiase congres. Of zij had een rijke man kunnen trouwen, en zelfs thuis kunnen blijven om een gezellig leven te leiden. Ze was nog steeds zeer geïnteresseerd in religie, maar ze kon niet aanvaarden wat de pandits en predikers haar voorhielden. Ze kon het op een praktisch vlak niet in verband brengen met haar leven, en ook was er iets in haar dat haar zei dat het niet juist was.

'Het was belangrijk voor mij dat mijn ziel een rechtstreekse verwantschap met god had, zonder tussenkomst van mensen. Het was uitstekend dat er boodschappers van god waren en het

136

was goed te delen in hun boodschap, omdat zij gods kracht hadden. Maar ik wilde leren zelf een boodschapper te zijn. Ik wilde die kracht rechtstreeks van god ontvangen'.

In die tijd was Dadi's familie bevriend met de familie Dada Lekhraj, een rijke diamanthandelaar. Dada was zestig jaar toen hij een transformatie onderging. Men zegt dat hij op zekere dag, volkomen onverwacht, warme energie door zich heen voelde stromen die hem met licht vervulde. Vervolgens had hij een reeks krachtige visioenen die zijn gewaarzijn dusdanig veranderden dat hij de hele aard van zijn spirituele wezen anders ging zien, alsmede zijn verhouding tot god, de toestand van de wereld en de verhouding tussen hemzelf, god en de wereld.

Die visioenen hielden gedurende verscheidene maanden aan tijdens zijn reizen naar Benares, Kashmir en Calcutta. In die periode besloot hij zijn zaak te liquideren en zich te wijden aan het bestuderen van het belang en de betekenis van de nieuwe inzichten die hij had verkregen. Hij geloofde dat hij de levende spreekbuis van de god-vader Shiva was (het scheppende aspect van de hindoese Heilige Drieëenheid) en hij kreeg de spirituele naam 'Brahma Baba' van Shiva. Vanaf die tijd werd hij zo genoemd.

Brahma Baba had een sterk charisma en hij was bezield met een moed en kracht die vele mensen aantrok. Hij legde de nadruk op eenvoud en gelijkheid voor allen die samen met hem kwamen studeren. Dadi Janki was een van hen.

Het culturele en politieke klimaat in Sindh was vijftig jaar geleden totaal verschillend van nu. Baba's spirituele inzicht verschafte hem een heldere kijk op de problemen van dat moment en hij verzette veel werk als rustig sociaal hervormer. Vrouwen werden nog steeds behandeld als tweederangs burgers, als eigendom van hun echtgenoot en vader, maar Baba moedigde de vrouwen aan door hen op de voorgrond te plaatsen als belangrijkste docenten en administratrices van de spirituele universiteit die hij in 1937 stichtte. Het was een gedurfde stap, zelfs naar westerse maatstaven, want de rechten van de vrouw waren nog niet grondwettelijk geregeld. Maar zijn visioenen hadden een sterk gevoel van herkenning opgewekt bij degenen die in zijn nabijheid verkeerden. Veel

137

van de jonge vrouwen die naar hem kwamen luisteren en zich wilden wijden aan het bestuderen van spirituele zaken, deden dat tegen de wil van hun vader en echtgenoot. De spanning steeg binnen de gemeenschap en sommige vrouwen werden het slachtoffer van geweld en mishandeling. Uiteindelijk werd de kleine groep van ongeveer driehonderd vrouwen gedwongen te vertrekken. In 1937 trokken zij naar Karachi waar een bestuur werd gevormd van acht jonge vrouwen die het beheer gingen voeren over wat nu een onafhankelijke familiegemeenschap, en eveneens een universiteit was.

'Het was volslagen nieuw (vertelt Dadi nu), het was heel revolutionair wat daar gebeurde. Men wist niet wat men ervan moest denken omdat Brahma Baba een huisvader was, een zakenman, en dan zo'n transformatie doormaken! Men zag zijn gezicht alsof er een licht in brandde. En het was zeker zo uniek dat ook bij vrouwen te zien gebeuren. De eerste, die we mamma noemden – de spirituele moeder – was nog maar een jong meisje van zeventien jaar! En ook haar transformatie was zo ongelooflijk, en dat inspireerde weer anderen, waardoor velen zich toen overgaven.

De gemeenschap waarin ik werd geboren, was er zeer tegen dat vrouwen wat dan ook buitenshuis deden maar ik wilde altijd al vreselijk graag anderen dienen en daarbij had ik een gevoel van genade. Als iemand zo doelgericht iets wil, neemt dat als regel ook wel vorm aan. Wie dienstbaar wil zijn, moet zichzelf kunnen wegcijferen en opofferen. Voor sommigen was het slechts het verloochenen van de mode als zij besloten een eenvoudig wit uniform aan te trekken, maar de meeste vrouwen waren zo aan hun huis en de kinderen gehecht dat zij daardoor in hun wens tot dienen werden belemmerd. Het vereist moed om je als vrouw niets aan te trekken van wat de samenleving zal zeggen als je je dienstbaar maakt. De wensen van een vrouw werden toentertijd al snel onderdrukt door ouders of maatschappelijke omstandigheden. Vrouwen worden dikwijls beïnvloed door druk van buitenaf. Zij moeten trachten een verbinding met god tot stand te brengen waarin zich een innerlijke kracht ontwikkelt zodat de geest sterk genoeg is om weerstand te bieden aan dwang en andere invloeden'.

Brahma Baba wist dat alle mensen een innerlijke hoedanigheid van goedheid en geweldloosheid bezaten, en hij baseerde zijn lessen dan ook op vrede en zuiverheid. Als leraar was hij een voorbeeld van dienstbaarheid, en hij vroeg een ander nooit, iets te doen wat hij zelf niet had gedaan. Hij was een man die gedisciplineerd en toegewijd mediteerde. Om twee uur in de ochtend stond hij op om na te denken over spirituele zaken. Elke morgen leidde hij een cursus en hij geloofde dat zijn woorden rechtstreeks van god kwamen. Hij ontwikkelde een ander soort van communicatie, gebaseerd op de subtiele taal van gedachten, gevoelens en trillingen.

Dadi Janki werd enorm geïnspireerd door dergelijke lessen. 'De dingen die hij zei, waren van praktische waarde in mijn leven. Toen ik eenentwintig was, wist ik dat de tijd rijp was voor complete overgave en ook dat ik mij aan dat werk moest wijden. Ik begon kennis te vergaren over god, en omtrent het zelf en wat we moesten doen met het leven van de mens – om dat op een "hoger plan" te brengen – het was een geweldige training! Ik voelde dat dit wel het meest verhevene was dat ik met mijn leven kon doen. God leren kennen, betekent het ego volkomen uitschakelen, zich sterk in de wetenschap verdiepen en het verstand op een positieve manier gebruiken om het zelf en god te leren kennen. Ik was onbevreesd toen ik de waarheid kende'!

Veertien jaar lang kregen de studenten een intensieve training omtrent alle aspecten van spiritueel leven, met maar een klein kansje dat men op een dag zou vragen wat het praktische nut was van hun levensstijl – die was gebaseerd op zuiver voedsel (vegetarisch), celibaat en meditatie.

Kort na de afscheiding van India besloot Baba in 1950 het hoofdkwartier over te plaatsen naar een oord buiten Pakistan. Hij wilde een rustige plaats en de Abuberg, vermaard vanwege het aloude spirituele erfgoed, was de ideale locatie. Ondertussen waren er in heel India veel mensen die aan zijn beweging wilden deelnemen en, helemaal in strijd met hun eigen wensen of verwachtingen, verliet de eerste kleine groep zusters de Abuberg in 1952 en zij verhuisden naar Bombay en Delhi. Zij hadden tot taak de eerste centra te stichten buiten dat op de Abuberg. Gedurende de daaropvolgende twintig jaar werden er over heel India vierhonderd universitaire centra opgericht. Uiteraard was het de bedoeling dat er in het buitenland vestigingen zouden komen; het eerste centrum werd in 1971 in Londen opgericht. Sinds die tijd is de universiteit een internationale zaak geworden met centra in meer dan vijftig landen, zelfs in Oost-Europa. Bijna een kwart miljoen pupillen met alle mogelijke etnische en religieuze achtergronden maken een studie van dezelfde hoeveelheid kennis en passen die toe in hun leven.

Wat houdt deze kennis in? De leer is gebaseerd op de raja yoga uit de Bhagavad Gita en schenkt in het bijzonder aandacht aan daden die gebaseerd zijn op zuiverheid van de geest.

'We moeten onze geest bezien en in de eerste plaats de hoedanigheid van onze gedachten onderzoeken. Dan zien we hoe negatief of boosaardig of verkwistend of eenvoudigweg onbelangrijk dat denken kan zijn, en dan brengen we onze geest daar voorbij naar gedachten die zuiver en positief zijn. We scheppen een zuiver bewustzijn van het zelf zodat we tot het gewaarzijn van onze eigen eeuwige identiteit kunnen komen. En in die toestand zijn we in staat ons van het lichaam en van de materiële wereld af te wenden, en god te ervaren.

Om te mediteren kunnen we gebruik maken van drie verschillende mogelijkheden. Allereerst is er de discipline om stil te gaan zitten in de vroege morgenuren, om vier uur in de morgen, die we de nectar bevattende uren noemen. Juist dan kunnen we die eenzaamheid ervaren – iemand die wil mediteren, moet uiteraard van die eenzaamheid houden – niet op een uiterlijk niveau, maar in de innerlijke toestand van stilte als we ons naar binnen keren. Als we hebben geleerd hoe we onze aandacht naar binnen kunnen richten en zien wat de hoedanigheid van onze eigen gedachten is, kunnen we onze geest terugtrekken van aardse gedachten en tot zuiver en positief denken komen. In die vroege morgenuren, de eerste meditatieve ervaring als het dag wordt, zitten we dan zwijgend en ervaren hoe heerlijk dat is.

De tweede vorm van meditatie houdt in dat je regelmatig met een tussenpoos van één of twee uur, terugblikt. In de

140

ashram draaien we elke twee uur, gedurende enkele minuten, wat muziek en terwijl die aan de gang is, richten we onze blik naar binnen en brengen de verbinding met god tot stand. Dit noemen we ''verkeersregeling'' van gedachten. Het is zoals de schildpad die uit zijn huisje komt om zijn werk te doen en weer teruggaat als hij daar behoefte aan heeft.

De derde vorm betekent het in stand houden van een hogere trap van bewustzijn en wel gedurende de hele dag zodat, als ik de kans krijg rustig te gaan zitten, mijn geest ogenblikkelijk naar god kan gaan en ik dan ook in staat ben zijn kracht te voelen door mijn verbondenheid met hem, waarna ik die kracht weer kan gebruiken in mijn leven. Maar dat is alleen mogelijk als ik een zielsbewustzijn ontwikkel, een spiritueel gewaarzijn waarin ik mijn aandacht steeds weer naar binnen richt.

Als de geest geconcentreerd is, kun je doordringen tot de diepten van de leringen om de werkelijkheid daarvan te ervaren. Het is dus feitelijk zo dat het tot onze dagelijkse discipline behoort eveneens tijd te besteden aan spirituele studie en niet alleen zwijgend te mediteren. Als je mediteert over de leringen ben je in staat de kracht daarvan in je op te nemen en in het leven te laten doorwerken, zodat het leven een afspiegeling, een belichaming van dat onderricht wordt'.

De leringen van de raja yoga zijn wel de meest diepzinnige in de Indische religie. De yogi gelooft dat de buitenwereld een grove vorm van de subtiele, of innerlijke, wereld van de geest is. Het uiterlijke is het gevolg en het innerlijke is de oorzaak. Dus door te leren de innerlijke krachten te hanteren, krijgt de yogi een opmerkelijk vermogen zijn krachten tot uitdrukking te brengen; hij krijgt macht over de wereld zoals wij die kennen en kan zich verplaatsen naar een gebied waar de wetten van de natuur hem niet meer beïnvloeden. Het westen heeft lange tijd het tegenovergestelde gedacht – dat je door het beheersen van de uiterlijke krachten het wereldgebeuren kunt regelen en orde op zaken kunt stellen. Maar de yogi zegt dat de betekenis van de wereld in je eigen geest is, en dat moet je eerst ontdekken.

'Een van de ervaringen die ik in mijn jeugd had, was dat ik kon afdalen in de diepten van de zee – dat is de geest, of de ziel, die afdaalt in de diepten van de zee van kennis die god ons verschaft, en daarmee kunnen we het zelf leren kennen en dan zijn we ook in staat god te kennen. Toen ik Brahma Baba ontmoette, begreep ik heel goed dat hij in staat was af te dalen naar de diepten van kennis en dat hij daar ook edelstenen ontdekte. In mijn hart had ik het verlangen die stenen met hem te delen. Een andere ervaring die ik had, was dat ik in staat was ver voorbij de hemel en de maan te reizen, naar een wereld waar je stilte ervoer.

Dat was geen fysieke reis, maar wel was er eerst het gewaarzijn van de fysieke dimensie en vervolgens van de subtiele dimensie – het betekende dat ik verder ging dan de fysieke dimensie waar we de zon en de maan kennen, het bewustzijn dat naar het subtiele reist en dan verder naar de verheven dimensie van licht en stilte'.

De basis van veel van de filosofie van de raja yoga houdt in dat de waarneming door de zintuigen plaatsvindt omdat dat de instrumenten zijn die boodschappen doorgeven aan de geest, en weer van de geest aan de ziel. De ziel ontvangt de boodschap en geeft het antwoord terug via hetzelfde traject en op die manier staan we in verbinding met de wereld. De geest is niet de ziel. Het hele proces van communiceren kan alleen maar via fysieke materie plaatsvinden, maar de geest bestaat uit een veel fijnere stof dan de uiterlijke zintuigen zoals ogen en oren. Als de materie van de geest grover wordt, vormt hij de bestanddelen van de wereld (en de meesten van ons zal het wel zijn opgevallen dat het moeilijk is onze geest af te scheiden van de wereld als we op een 'grove' manier teveel bij die wereld betrokken raken). En zo zijn het intellect en de doodgewone substantie van de aarde in wezen van dezelfde soort en verschillen slechts in gradatie. Alleen de ziel bestaat niet uit materie; de geest is het werktuig en het middel waardoor de ziel kan reageren op het uiterlijke leven. De geest kan zich met veel zintuigen verbinden, maar ook met slechts één – als we bijvoorbeeld een boek lezen, merkt de geest wellicht niet op wat er allemaal te horen en te ruiken valt – en ook kan de geest zich aan geen enkel zintuig hechten en zich naar binnen keren. En die naar binnen gekeerde visie is precies wat de yogi te pakken wil krijgen. Hij wil de feitelijke samenstelling van het

142

brein ontdekken en hoe dat zich gedraagt in verhouding tot de ziel. En bovenal wil hij de ziel bereiken.

Volgens de raja yoga is er nog een manier om dit te bevatten, namelijk door te stellen dat mensen bestaan uit vier hoofdkenmerken, of lagen. Het meeste zijn we ons bewust van ons lichaam. Vervolgens van onze geest en onze bewuste persoonlijkheid, die we beschouwen als 'ik'. Ten derde is er de ziel, de levenskracht die de leider van dat 'ik' is en die eveneens de schakel vormt met het goddelijke zelf, en tenslotte is er het goddelijke zelf, de basis van zijn, het oneindige en het eeuwige. Die vierde laag is het doel van raja yoga.

Men neemt aan dat Brahma Baba dat doel had bereikt. Door de manier waarop hij doceerde, zoals die tot uitdrukking wordt gebracht via mediums (hij stierf in 1969), zoeken de studenten van die universiteit nu nog steeds naar leiding.

'Baba deelt mededelingen en lessen uit via het medium als boodschapper. Maar in feite denken we dat Baba tijdens zijn leven het instrument was door wie god de lessen gaf. Zijn lessen zijn dus de lessen van god. Brahma Baba werd, niet in hypnotische toestand maar juist in één van volledig gewaarzijn, het instrument door wie de kennis werd overgedragen. We hebben ontmoetingen gehad met Baba via het medium als boodschapper, maar dat heeft niets nieuws opgeleverd; alleen nadere uitleg over de wijze waarop we het onderricht in ons leven in praktijk moeten brengen.

Ik ben ook een boodschapper, maar niet omdat ik graag belangrijk wil zijn in het leven, juist het tegendeel. De wens om gods boodschapper te zijn, kent bepaald geen gevoel van ego. En toch moet er een voorbereiding zijn om zich over te geven aan god, want op die manier wordt de ziel van de mens gevuld met goddelijkheid. Het is een krachtige ervaring een boodschapper van god te zijn. Slechts als je die voorbereidingen treft en je los maakt van wereldse zaken, van de aardse aantrekkelijkheden, kan men een boodschapper worden.

De eerste en belangrijkste manier is dat je uitstijgt boven mannelijk of vrouwelijk, tot in het gewaarzijn van de eigen eeuwige identiteit, en ten tweede moet je jezelf de vraag stellen: "Wat is mijn rol"? Vrouwen willen zich over het algemeen dienstbaar maken door middel van geest, lichaam en welzijn. Er is een vurige motivatie om te dienen. "Ik ben een mens in deze vrouwelijke gedaante, welke diensten kan ik anderen verlenen"?

Toen ik verleden jaar in Kuala Lumpur was, werd ik geïnterviewd door een plaatselijke krant. Men vroeg mij hoe ik de moeilijkheden overwon die ik toch wel had ervaren toen ik mij dienstbaar wilde maken op het spirituele vlak. Ik antwoordde dat er veel was gebeurd, maar dat ik het allemaal niet zo belangrijk achtte. Er zal nog wel meer gebeuren, maar dat mag mij er niet van weerhouden mijn doel te bereiken. Als mijn doel duidelijk is en ik kracht van god krijg, kan er niets tussenbeide komen. Dat is de manier waarop ik me dienstbaar kan maken.

Want mijn ware doel is een lichtbaken te zijn – vervuld te zijn van licht en een gevoel van lichtheid – waarin zich geen dwang of last voordoet, en dan ben je in staat licht te delen met anderen en hun de weg te wijzen. Het lichtbaken toont de veilige weg. De wereld maakt een crisis van lijden door. Er zijn zoveel negatieve gedachten en daarom is het van groot belang dat mijn leven als yogi anderen naar zekerheid kan leiden.

We hebben op het ogenblik de grootste behoefte aan een verandering van perspectief; een verandering van de manier waarop we onszelf, anderen en de wereld bezien. Als we eens heel even stilhouden en alle lagen afpellen van sociale, culturele en sexuele begrenzingen die tot nu toe een beperkende kracht vormden, dan kunnen we een subtiele dimensie van het zelf bereiken waar volkomen vrijheid van enige beperking heerst. En terwijl vele regeringen zich zorgen maken over de toekomst van de wereld met een steeds afnemende voorraad natuurlijke rijkdommen, hebben wij allemaal een natuurlijke bron in onszelf die tot nu toe eigenlijk nog niet is aangeboord. Die energie noemen we de levenskracht of ziel.

Door meditatie kunnen we een toestand van harmonie ervaren die gebaseerd is op de opvatting dat de persoonlijkheid die zich in de ziel bevindt, zowel mannelijke als vrouwelijke hoedanigheden in zich bergt. Als de ziel tevreden is, zijn beide aspecten in harmonie. Ware gelijkheid houdt in dat we onszelf en anderen zien als spirituele wezens, ongeacht of de ziel zich in een mannelijk of vrouwelijk lichaam bevindt.

De levenskracht bevindt zich hier in de fysieke vorm; wat die fysieke vorm ook is, mannelijk of vrouwelijk, de levenskracht worden bepaalde kenmerken en karaktertrekken opgelegd en zo worden we er afhankelijk van of we raken er aan onderworpen. In een ziel die in een mannelijk pak, als man, wordt geboren, worden die karaktertrekken waarschijnlijk bazigheid en ik-gerichtheid; voor een vrouw is dat vermoedelijk bedeesdheid, afhankelijkheid en vrees. Maar als de geest gaat ontwaken, als de ziel beseft in contact met god te staan en die yoga ook ervaart, dan zal de man die een yogi is, ook de kracht van een man hebben, maar vriendelijk en ootmoedig getint waardoor die ik-gerichtheid en bazigheid verdwijnen. En een vrouw die het lichaam kan loslaten en in yoga is, brengt die ervaring een heleboel kracht, een heleboel moed zodat zij geen vrees kent, niet bedeesd en ook niet afhankelijk meer is. Op deze manier ontwikkelen de hoogste kenmerken van de ziel zich door die verbinding met god en het loslaten van het lichaam.

Het is zo dat als de ziel in een menselijk lichaam relaties heeft met andere menselijke wezens, al die verwantschappen vergankelijk zijn – mijn moeder, mijn vader, mijn broer, mijn zuster. Mijn relatie met god is eeuwigdurend en die ervaring kan de ziel hebben als ze zich bewust wordt van zichzelf. Elk mens heeft het vermogen onderscheid te maken, een geweten, maar in een toestand van niet-gewaarzijn kennen we geen verschil tussen goed en kwaad. Pas als we ons gewaar worden, zijn we in staat het onderscheid tussen goed en kwaad te maken, maar bovendien kunnen we dan ook die verbinding met god krijgen, de kracht waarmee we het juiste pad kunnen volgen. We voelen dat god almachtig is, een alles te boven gaande kracht die niet kan vergaan en als we ons daar volledig van bewust zijn, kunnen we dat trachten te doorgronden en vertalen in feiten zoals de kracht van verdraagzaamheid, de kracht van onderscheidingsvermogen, de kracht van verzoening, buigzaam zijn, de kracht van willen samensmelten, de kracht van oprechtheid. Dit zijn allemaal verschillende openbaringen die ik in mijn leven kan gebruiken uitgaande van de kracht die ik van god ontvang.

Ons streven kun je heel eenvoudig omschrijven als het

gebruik maken van gedachten om onze innerlijke werelden te verkennen en te begrijpen. Er zijn geen lichaamshoudingen nodig en we maken geen gebruik van mantrams om de gedachtenstroom stil te zetten – in plaats daarvan onderzoeken en overpeinzen we die gedachten. Meditatie is de essentiële methode om de oorspronkelijke zuivere toestand van de ziel te verwezenlijken, zonder enige beperking wat betreft begrijpen en gewaarzijn. De kracht die noodzakelijk is om dat bewustzijn te bestendigen, wordt verkregen door gebruik te maken van de bewuste geest en door de gedachtenstroom naar de hoogste bron van zuivere energie, de verheven ziel, te leiden. Deze mentale verbinding brengt een toestand van innerlijke stilte en rust tot stand.

Het is mijn enige wens dat de aandacht aan god wordt gewijd zodat de zielen een persoonlijke relatie met god kunnen ervaren. Zij moeten zich geen zorgen maken over de toekomst omdat de cyclus van de wereld eeuwigdurend is en niet zal eindigen, maar wel gaat de wereld zelf door verschillende stadia. Nu is de wereld in het Kali Yuga-tijdperk, de slechtste fase, maar die zal eindigen en er zal een gouden tijdperk aanbreken. In plaats van zich zorgen te maken, zouden de mensen nu positieve dingen moeten gaan doen zodat de toekomst beter zal zijn. En wel zo dat we allemaal met elkaar kunnen samenwerken om een betere wereld te scheppen. Het is voor de wereld van groot belang dat de mensen gevoelens van goede wil ontwikkelen, gevoelens van mededogen met de wereld. De transformatie van de wereld ligt in onze handen'.

IRINA TWEEDIE

Niet iedereen zou willens en wetens het pad kiezen waarop hij alle geneugten in het leven en alle gemakken en vriendschappen achter zich laat als hij van middelbare leeftijd is, en vervolgens naar India gaan om elke dag weer in de onbarmhartige hitte vele uren zwijgend in het stof te zitten. Dat vraagt een enorme toewijding en grote emotionele inzet. Het is wel zeker dat verstandelijk denken iemand niet aan dat leven zou kunnen binden, maar alleen een zeer sterk *verlangen* om daar te zijn.

Irina Tweedie – zij is Russische – was al in de vijftig toen zij het besluit nam zich neer te laten aan de voeten van haar soefi-goeroe Bhai Sahib. De soefi's, een beweging die onderdeel is van de islam, hebben een mystiek inzicht dat verder gaat dan de dogma's van de moslims. Zij komen oorspronkelijk in hoofdzaak uit Perzië, waar zij door de woestijn zwierven en in opstand kwamen tegen weelderige luxe en verdorvenheid die volgden op de dood van de profeet Mohammed. Grote soefi-meesters stichtten scholen en zij gingen de leerlingen voor in een aantal oefeningen en overtuigingen. Hun woorden werden van de ene generatie naar de volgende doorgegeven.

De mystieke reis was bedoeld om het zelf af te leggen en de discipel te bevrijden van de onderworpenheid aan verlangens, en om de wil te louteren. De discipel moet leren het zelf los te laten zodat hij of zij volkomen plooibaar is in de handen van god. Er was een meester, Abu Said, die tegen zijn volgelingen zei dat ze, als ze zich als soefi's wilden gedragen, alle getob moesten opgeven en dat er geen erger getob was dan het gevoel van 'ik'. Als zij door het 'ik'-gevoel in beslag werden genomen, kon god hen niet bereiken en waren zij afgezonderd van hem. De weg naar god was slechts één stap, zei hij, de stap om uit het zelf te treden. Als we weten dat we niet-zijn, zien we god als ons eigen wezen.

In alle verschillende richtingen van de huidige soefileer wordt verlangd dat we ons, als noodzakelijke eerste stap in plooibaarheid, overgeven aan de goeroe. Er zijn richtingen waar gebruik wordt gemaakt van muziek, poëzie of dansen (de

147

meest bekende is wel de dans van de snel in de rondte draaiende derwisj), terwijl andere zich bezighouden met ademhalingstechnieken en magische rituelen. In de richting die Irina Tweedie volgde, vertelde de meester haar dat er een overdracht plaatsvindt van ziel tot ziel. Hij legde uit dat andere groepen wel gebruik maken van het lichaam en dat het lichaam dan zeer magnetisch wordt.

Het lichaam trekt het lichaam aan, en door dat lichaam heen de ziel. In ons systeem trekt de ziel een andere ziel aan en de ziel spreekt tot die andere ziel. We hebben niets nodig. We kennen geen beperkingen. Muziek is een gebondenheid. Rituelen, erediensten die men gezamenlijk bijwoont, kunnen ook onvrijheid inhouden. Maar wij zijn vrij. We gaan in stilte naar de absolute waarheid, die alleen maar in de stilte is te vinden, en die ook stilte is. Daarom worden wij de zwijgende soefi's genoemd. Als er oefeningen worden opgegeven, worden die altijd in stilte gedaan.

Chasm of Fire

Irina ging naar India om haar goeroe, Bhai Sahib, te vinden (Bhai Sahib betekent oudere broer en zo wilde hij ook genoemd worden), omdat zij wanhopig was na de dood van haar man. Zij wilde zo graag een manier van leven te vinden die haar zou helpen de toekomst te aanvaarden zonder hem.

'Ik overwoog het op te geven, zelfmoord te plegen, ik voelde me zo gekwetst en wanhopig dat ik alleen nog maar dood wilde. Een vriendin nam me toen mee naar de theosofische bibliotheek. Ik voelde me zo ellendig na de begrafenis dat ik maar wat ging lezen en misschien zou dat wel helpen om verder te leven, misschien ook wel niet – ik wist niet wat ik wilde. Het eerste boek dat ik las, ging over het leven na de dood. De schrijver beweerde dat de dood niet bestaat, het is slechts een veranderde vorm van bewustzijn – en nu weet ik ook dat dit volkomen juist is.

Ik werd toen ook lid van de Theosofische Vereniging en ik ging naar India, naar het centrum van de vereniging in Adyar bij Madras. Maar op de een of andere manier had ik er niet genoeg aan daar te studeren. Dus ik besloot door India te gaan reizen en vroeg een vriendin waar ik het beste naar toe kon gaan. Zij opperde de Himalaya en toen ik daar eenmaal was, leidde de ene stap na de andere mij, als langs een draad, naar de meester. Het was een eigenaardig lot. En toen ik hem ontmoette, zei hij uiteraard: "Je had al veel eerder moeten komen". Mijn leven lang verlangde ik ernaar de waarheid te leren kennen. En toen ik deze man ontmoette, was ik er absoluut van overtuigd dat hij me kon helpen'.

Zij was bereid zich over te geven, graag zelfs, maar de feitelijke ontberingen waar ze aan werd blootgesteld, leken haar onnodig en wreed. Het gebeurde vrij vaak dat haar niet werd gevraagd in de kamer van de goeroe te komen en dat ze uren lang alleen, buiten in de wind en in het stof moest zitten wachten. In haar dagboek vertelt ze:

Vanmorgen regende het. Ik ging om negen uur op weg. De kamer was open. Ik aarzelde even en ging vervolgens naar binnen omdat het zo koud en tochtig was in de ingang die naar het binnenplein leidde. Door de geopende deur zag ik dat hij in de kamer daarnaast zat te ontbijten. Ik vroeg heel bedeesd of ik hier zolang mocht gaan zitten omdat het buiten zo koud was. Hij bromde iets waaruit ik begreep dat ik niet welkom was. En dus ging ik naar buiten om bij de ingang te gaan zitten. Het regende nog steeds en er woei met vlagen een koude wind. Ik had het koud en ik had natte voeten. Ik hoopte maar dat hij me gauw binnen zou roepen. Maar dat deed hij niet. Uren zat ik daar en ik moet eerlijk bekennen dat ik gebelgd was. Iedereen mocht binnenkomen. Zodra ze aan kwamen lopen, mochten ze naar binnen. En alle anderen hadden voorrang. Altijd de laatste, de minste, en de gebeten hond; dat ben ik, dacht ik verbitterd. Als ik iets wilde dat belangrijk was, had niemand tijd voor mij. Zodra ik mijn mond opende, kwam er een groep mensen in beweging of moesten er baby's worden gezegend; of er kwamen bedienden, liepen er mensen in en uit, gingen er kinderen vechten of huilen of ruzie maken... en zo ging dat maar door. Ik was altijd de laatste.

(ibid.)

149

Toen haar werd gevraagd waarom ze daar bleef, zei Irina: 'Ach, ik bleef gewoon omdat ik er nou eenmaal was. Het was heel simpel, hoewel het vaak veel moeite kostte. In het begin heb ik er wel aan gedacht weg te lopen toen ik me zo gekwetst voelde. Maar toen ik inderdaad dat besluit had genomen, kreeg ik tot mijn grote verbazing plotseling het gevoel dat het leven dan alle betekenis zou verliezen. Ik wist dat ik niet kon vertrekken. Er was daar iets, ik kon het niet precies omschrijven, maar ik wist wel dat ik niet weg moest gaan. Er was daar iets dat me een of andere voldoening zou geven, een soort noodlot'.

Behalve dat ze werd afgewezen, had Irina nog een groot probleem. Bhai Sahib wilde haar alleen aannemen als leerling onder voorwaarde dat ze al haar geld aan hem overmaakte. Als ze geld nodig had, kon ze een klein beetje van hem krijgen. Ze schrijft in haar dagboek:

Heb helemaal geen geld. Ik heb alleen maar een paar roepies. Merkwaardig hoe onbelangrijk dat is. Ik moet leren een bedelaar te zijn: hem en alleen hem te vertrouwen. Wat van buiten komt, is vanaf nu niet meer van mij; het komt op zijn rekening om te worden verdeeld onder diegenen die het nodig hebben.

(ibid.)

Maar deze euforie duurde niet lang. Een paar dagen later tekent ze op dat ze twee dagen heeft moeten vasten omdat ze helemaal niets te eten had. Bhai Sahib zei dat een beambte van de bank wat geld zou komen brengen, maar ze had zo haar twijfels daarover. Het geld werd evenwel toch gebracht en hij beloofde haar dat zij de volgende dag een paar roepies zou krijgen. Er kwam geen eind aan deze geldzorgen. Op een bepaald moment moest ze vijftig roepies van zijn oudste zoon lenen voor de huur van haar kamer die vooruit betaald moest worden.

Op een andere dag schrijft ze:

Ik leef op aardappelsoep. Ik had een klein beetje rijst, maar dat

was een paar dagen geleden al op, en ook het restje bloem is op.
Ik heb nog wat suiker en een beetje thee.

(ibid.)

Ze was er toen wel van overtuigd dat Bhai Sahib haar met
opzet aan een hongerproef onderwierp. Hij keek haar niet aan
en sprak niet tegen haar, maar toch kwam het niet in haar op
te denken dat hij haar niet in het oog hield. Na een paar dagen
vroeg hij tenslotte hoelang zij nodig had om haar eten te
bereiden. Dat is zo gebeurd, antwoordde zij. Hij scheen
tevreden te zijn met haar antwoord en zij dacht wel dat ze voor
deze vreselijke proef zou slagen. Later vroeg hij haar of ze
financiële problemen had. Deze keer antwoordde ze meteen:

Ik zei tegen hem dat ik verleden week maandag, nu tien dagen
geleden, nog slechts vier roepies had. Ik had geprobeerd er zo
lang mogelijk mee te doen, daarna begon ik te vasten, water en
een beetje citroensap, en vervolgens alleen nog water. 'Maar
laat ik verder gaan. Het is geen ontbering. Ik heb zelfs geen
hongerig gevoel. Ik zou het niet hebben aangeroerd als u er
niet naar had gevraagd'.
'Nee, je had het wel moeten zeggen. Ik heb er absoluut niet
meer aan gedacht'.
'Dat kan ik niet aannemen, en ik geloof het ook niet'. Ze
lachte. 'Als u de man bent die ik denk dat u bent, dan hebt u
het ook geweten...'
Hij gaf niet onmiddellijk antwoord. Toen zei hij: 'Ga maar
naar mijn vrouw. Zij zal je te eten geven, en morgen krijg je
tien roepies'.

(ibid.)

Na twee jaar afwisselend verrukking en ellende gaf Bhai Sahib
haar te verstaan dat ze terug moest gaan naar het westen om
daar te doceren en te schrijven. Woedend stuurde hij haar weg
en zij geloofde dat dit de ware stijl van de soefi was. Hij had
zijn zoon gevraagd haar meubels weg te brengen en de
jongeman had een klerenkast zo hard gestoten dat er krassen in

151

het vernis waren gekomen. Irina was boos op hem geworden. Toen ze Bhai Sahib ging groeten, zag ze met enige bezorgdheid dát hij boos keek. Toen zei hij:

'Hoe heb je zo tegen mijn zoon durven spreken!... Hij is een man en jij bent slechts een vrouw'!
Ze vertelde dat hij zo onhandig met de klerenkast was omgegaan.
'Wat kan mij die klerenkast schelen? Jij vervelende ouwe zeur! Ik ben blij dat je eindelijk weggaat! Je hebt geen respect voor mijn kinderen. Je deugt nergens voor, oud en dom ben je'!

(ibid.)

Je vraagt je af wat ze nou eigenlijk heeft bereikt in die twee jaar van toewijding, van onderdanigheid ten opzichte van de wensen van een bezielende, maar strenge meester? Merkwaardig genoeg heeft ze heel wat bereikt. Door de invloed van zijn tegenwoordigheid leerde Irina dat je beter niet kon proberen alles te begrijpen, maar dat het zinniger was je één te voelen met de dingen. Zodra ze bereid bleek haar pogingen op te geven om alle opgedane indrukken in verstandelijke patronen in te delen, was ze in staat tot een veel beter begrip.

Samen met bepaalde adviezen die zij kreeg, kwamen ook de inzichten. Bhai Sahib was in staat haar te doen zien hoe bepaalde gewoonten haar leven hadden gestructureerd:

Je benadeelt je eigen gevoelens door je gewoonten aan te meten. Als je bijvoorbeeld verslaafd bent aan thee en je kunt geen thee krijgen, dan lijd je, nietwaar? Dus je gevoelens worden gekwetst door de gewoonte die je ervan hebt gemaakt. Nooit, helemaal nooit de gevoelens van iemand kwetsen en nooit gewoonten scheppen, dat is de ware *ahimsa* (zich onthouden van het berokkenen van leed). Door het scheppen van gewoonten, zetten we onszelf gevangen; en gevangenschap betekent beperking. En beperking betekent lijden.

(ibid.)

Misschien dat voor de meeste mensen van ons het afstand doen van alle vormen van inkomen, op de manier zoals Irina haar inkomen opgaf, de diep gewortelde gewoonte teniet kan doen die ons afhankelijk maakt van de macht van het geld, waardoor de grootste hinderpaal wellicht zou verdwijnen. Maar dat is een les die uitermate hard zou aankomen. Het is evenwel een feit dat ons leven bestaat uit gewoonten, de meeste onbewust, en dat er geen ware verlichting kan zijn als we ons niet gewaar worden van de manier waarop we onze eigen wereld scheppen, en bovendien vasthouden aan die constructie.

Alle religieuze en spirituele wegen trachten die onveranderlijke houding van de mens te doorbreken, een eind te maken aan gewoonten en starre meningen op te lossen. Als dit werkelijk lukt, openbaart zich een nieuwe wereld, en wellicht is de mens dan voor het eerst in staat te begrijpen wat de zegen van vrij zijn betekent.

Niet alle systemen zijn zo veeleisend als dat van de goeroe van Irina, maar toch ging ze van hem houden en geloofde zij in hem. Iedere yogi stelt zich een leven ten doel dat geleid wordt, vertelde hij haar, geleid door dat wat tijdloos en eeuwig is: 'Het enige doel van een spirituele training is in staat zijn naar die leiding te luisteren'. Irina voelde die leiding als een geheimzinnige substantie in het hart van de mensheid die, geactiveerd door liefde, intuïtie wordt.

'Die substantie is ingebed in de kern van de ziel en het is het waarnemende zintuig of het licht van de intuïtie; en de reiziger op het pad is dat waarnemende zintuig – niet de persoonlijkheid, niet jij of ik, niet ons verstand. De mens wordt geboren met twee verlangens. Alle andere worden na de geboorte aangeleerd. Maar in de substantie van de ziel zijn twee verlangens gevat. Zij worden de drijfkracht van de ziel genoemd. De wil te leven en de wil te vereren.

We weten allemaal wat de wil te leven betekent. De wil te vereren is het aspect van liefhebben dat zich voordoet als verlangen. En verlangen is de vrouwelijke kant van de liefde. ''Ik heb je lief'' is het mannelijke, naar buiten tredende aspect. ''Ik verlang naar je'' is het vrouwelijke. En zo behoren yoga en meditatie tot de vrouwelijke kant van de liefde. Het verlangen naar god is wat de mens werkelijk thuisbrengt. En dat zit in onze ziel, daar kunnen we niet onderuit. Zo'n vererende houding kan zich op het laagste vlak openbaren – liefde voor voetbal, voor filmsterren – en het hoogste aspect is universele liefde, liefde voor god'.

Het waarnemende zintuig schijnt los van de persoonlijkheid te bestaan. Het is de manier waarop we instinctief iets weten, en het is zeker zo dat er – als we iets van onze wilskracht loslaten, van de neiging onze omstandigheden naar onze hand te zetten – een heleboel verborgen waarnemingen beschikbaar komen voor ons. Bhai Sahib noemde zo'n waarneming een wenk:

Een wenk waarnemen, betekent overeenkomstig handelen, en zelfs niet proberen die wenk te begrijpen. Het is eerder nodig overeenkomstig en passend te handelen dan te begrijpen. De genade van god kun je niet pakken; die daalt neer.

(ibid.)

Die soort intuïtie lijkt hen die geen enkele ervaring hebben op andere vlakken van de werkelijkheid misschien belachelijk. Maar alle religies aanvaarden de behoefte aan innerlijke waarneming. In het christendom noemt men het het inzicht in de wil van god, in het boeddhisme de ontdekking en het gebruik van ik-loze middelen, in het taoïsme heet het handelen volgens de weg.

In alle spirituele praktijken komt er een moment dat de leerling zelf moet handelen. De handeling is als regel heel eenvoudig en toch zeer diepgaand. Het kan de 'alleen maar kijken'-opdracht zijn van de heilige Theresa, of volledige concentratie op de ademhaling zoals in het boeddhistische vipassana. Maar wat het ook is, de leerling moet het *doen* en er niet alleen maar over nadenken. Irina zegt dat het voor de gecompliceerde intellectuele westerling vaak heel moeilijk is om het hele zelf in te zetten voor iets dat uitermate simpel is. We zijn zo gewend onze handelingen te beredeneren. Maar in het systeem van Bhai Sahib speelde beredeneren nauwelijks een rol. Het onderwerpen van de wil door middel van liefde was het belangrijkste doel.

'Zeggen "ik heb je lief" is gemakkelijk, maar dat ook waar maken is moeilijk. Hierin ligt het mysterie van de verwezenlijking van god, of van de waarheid, verborgen. Er is één ding dat we moeten trachten te realiseren: "je bent in mijn hart, je bent alles, ik ben niets". Als we dat gaan beseffen, dan hebben we werkelijk lief en als dan het eigen zelf zijn waarde verliest, beginnen ook alle uiterlijke dingen in te boeten aan belangrijkheid. Vanaf dat moment verblijft het zelf, en al het andere, bij de geliefde en die geliefde verblijft permanent bij ons als er geen zelf meer is'.

Irina vond het heel moeilijk dit pad te volgen. In het begin begreep ze niet wat Bhai Sahib van haar verlangde. Ze kon niet zo goed bevatten dat het pad van het niets-zijn begon met totale overgave aan de goeroe. Ze smeekte hem haar te helpen, maar hij antwoordde:

Als ik je nu help, zul je steeds weer om hulp vragen. Hoe wil je dan de rivier oversteken? Je moet het zelf doen, ik help je niet. Als ik wel help, raak je eraan gewend en zul je nooit zonder mijn hulp kunnen. We moeten allemaal alleen de rivier oversteken. Begrijp je dan niet dat dit de weg is? Ik vertel het je, ik laat je de weg zien, *de enige weg*. Begrijp dan toch dat je niets bent. Het betekent totale overgave. Dat vergt tijd. Dat kan niet in één dag. Het kost tijd je over te geven. Mijn strenge woorden helpen je mijn beminnelijkheid doet dat zeker niet.

Als ik dagen lang niet tegen je praat, moet je gewoon blijven zitten. Als ik spreek, spreek jij ook en nooit, nooit mag je klagen... Dit is de deur, de enige deur tot de koning van het hart. Wat betekent het overgeven van het hart? Jullie kunnen je er geen voorstelling van maken, niet alleen westerlingen niet, maar de Indiërs ook niet... Leer niets te zijn, dat is de enige weg.

(ibid.)

Wie eenmaal heeft geleerd niets te zijn, de weg van het zichzelf verliezen, raakt die niet meer kwijt. De heerlijkste momenten in het leven blijken die momenten te zijn dat de ander

155

belangrijk is en niet wij zelf, omdat dan de verdeeldheid tussen ander en zelf verdwijnt. Die verdeeldheid blijft slechts merkbaar als het zelf overheerst. Toen Irina haar goeroe vroeg wat de juiste geesteshouding moest zijn, corrigeerde hij haar: 'Niet van de geest; van het hart. De juiste houding van het hart! De geest is niets'.

Om Irina te helpen dit te aanvaarden, leerde Bhai Sahib haar dat het opengaan van de hart-chakra van het hoogste belang was. De chakra's zijn, volgens de Indische filosofie, zes energiecentra in het lichaam – tussen de wenkbrauwen, bij de keel, het hart, de navel, de geslachtsorganen en de stuit:

In ons systeem van yoga wordt slechts één chakra gewekt: de hart-chakra. Het is de enige bestaande yogaschool waar liefde wordt geschapen door de spirituele leraar. Hij doet dat met yoga-kracht. Het gevolg is dat het hele ontwaken, de bezieling, door één chakra wordt gedaan die langzamerhand ook alle andere opent. Die chakra is de leider en doet alles. Als je een stuk van mijn land wilt kopen, ga je dan naar dat land toe? Bepaald niet, je komt naar mij. Je doet zaken met de eigenaar. En in ons systeem doen we alleen maar zaken met de leider.

(ibid.)

Het moeilijkste voor Irina was wel – en dat heeft ze gemeen met de hele mensheid – te leren hoe zij zuiver en onvoorwaardelijk moest liefhebben. Onvoorwaardelijke liefde versmelt met de hele wereld en is ook dienstbaar zonder onderscheid te maken, overeenkomstig de behoefte. Met dat doel voor ogen nam Bhai Sahib haar aan als leerling en onderwierp haar aan de vele vormen van discipline die haar naar die toestand van onvoorwaardelijke liefde, eerst voor hem en vervolgens door hem voor al het andere, zouden leiden. Want dit is het pad van gelukzaligheid. Liefhebben zonder de behoefte aan beantwoording betekent het vinden van niet te overtreffen tevredenheid en rust.

Irina geeft nu zelf meditatielessen volgens de methode van Bhai Sahib. De Indische benaming daarvan is *dhyana*.

'De geest concentreert zich niet op een bepaald beeld. In een toestand van *dhyana* kunnen zich helemaal geen beelden vormen. *Dhyana* is het eerste stadium nadat het denkvermogen van de geest wordt overstegen. Vanuit een verstandelijk oogpunt moet je dit beschouwen als een onbewuste toestand. Het is de eerste stap voorbij het bewustzijn zoals wij dat kennen en uiteindelijk kan die toestand, met kleine stapjes, tot *samadhi* (gelukzaligheid) leiden, en dat betekent het volledig ontwaken van de eigen goddelijkheid.

In *dhyana* liggen alle geheimen van de dingen besloten. Concentratie is de verandering van identificatie van de ziel. Spirituele training is niets anders dan verandering van inzicht'.

Irina leerde haar pupillen dat het waarnemende zintuig, als dat wordt ontwikkeld, de intelligentie verkrijgt het verschil te zien tussen waarheid en begoocheling, en dat de geest in feite een instrument van onwetendheid kan zijn. Zij beschouwde de geest als 'het kleine zelf' dat nergens naar toe gaat, en ze zegt dat 'het wordt erkend, herkend en gebruikt'.

Ze vond dat al haar lijden in het verleden grotendeels door haarzelf was veroorzaakt. 'Je wordt in de arena geworpen – er is geen genade, het leven geeft geen genade. Een van de grootste fouten is medelijden met jezelf te hebben, dat is een absoluut beletsel'. In plaats van zelfmedelijden moet er volkomen openheid zijn: 'Je moet op zodanige wijze leven dat de zon je kan zien (de lijn van Boeddha, Christus en anderen) en er mogen geen geheimen zijn, geen geheime zaken. Dan is er niets behalve het niets-zijn. Maar dit niets-zijn is volslagen gelukzaligheid, volkomen voldoening. Onze ziel is een straal van de spirituele zon en gedraagt zich precies hetzelfde als een zonnestraal ten opzichte van de zon. De straal kan niet anders dan een deel van de zon zijn en de zon kan niet anders dan de straal uitstralen. En zo zijn wij gewoon stralen van god'.

In Irina's eigen praktijk – en zij heeft meer dan driehonderd leerlingen alleen in Londen, waarvan er bijna zeventig iedere middag met haar komen mediteren – leidt zij de meditatie naar een liefhebbende stilte.

'We proberen contact te maken met iets in onszelf dat eeuwig is, de ziel. En het is een meditatie van liefde, een gewijde meditatie. We vullen ons hart met liefde – liefde van het oneindige leven, of van de geliefde, zoals de soefi's zeggen.

En elke gedachte die in ons opkomt, laten we alleen maar versmelten met dat gevoel van liefde. Dit is een van de manieren om het denken te stoppen. Als de geest gestild is, kan die een andere ruimte bereiken. Hier kennen we slechts één ruimte, maar de geest kan in vele verschillende ruimtes werken. En die innerlijke ervaringen kunnen we alleen maar in een andere ruimte beleven – niet hier. Maar onze geest is vol gedachten. De hele dag door denken we automatisch. Gesprekken met anderen, alleenspraken en dialogen, wat we allemaal moeten doen, het verleden en de toekomst, we denken de hele dag. En dat belet ons ervaringen te hebben. Je moet dus beginnen de geest tot bedaren te brengen. Onze meditatie is gericht op de noodzakelijke ontspanning die de geest tot een punt van absolute stilte brengt, en dat is *dhyana*'.

Toen Bhai Sahib stierf, was Irina gebelgd en boos.

'Ik dacht dat hij me alles had afgenomen – mijn bezittingen, mijn geld, alles – en hij heeft me helemaal geen lessen gegeven. Maar op een zeker moment tijdens een meditatie merkte ik dat ik plotseling mijn meester kon bereiken. Hij had geen fysiek lichaam meer, hij was een cirkel van energie. En ik was vol ontzag. En vanaf dat moment begon de spirituele training, op een ander vlak van bewustzijn, in een andere ruimte, en dat is zo voortgegaan gedurende de laatste twintig jaar hier in het westen.

In het begin kon ik hem bereiken op momenten dat ik mediteerde. Nooit voor mijzelf. Al had ik problemen, dan nog zou ik niet om hulp vragen, dat is een soefi-wet. Maar voor anderen kon ik hulp vragen en die werd dan ook gegeven. Dit ging jaren zo door en het was een wonderschone toestand. Net of je een grote vaderfiguur had die altijd voor je klaarstond. Ik merkte niet dat er in de loop van die twintig jaar steeds minder van die vaderfiguur overbleef. Steeds vaker werd ik aan mijn lot overgelaten. En steeds vaker voelde ik me losgelaten in het niets en moest ik zwoegend de zaken zelf oplossen. Dat gevoel van zijn tegenwoordigheid is er nog wel, maar nu is het een indruk in mijn hart en er is geen meester meer. Aan het eind van de training, versmelt de ziel van de leerling met de ziel van de meester'.

EILEEN CADDY

Halverwege de zestiger jaren deed in de westerse wereld een vreemd verhaal de ronde. Er werd gezegd dat er in het afgelegen noordwesten van Schotland een stuk grond was waar een paar mensen groenten verbouwden die veel meer volume had dan de groenten die wij kennen, en er waren zelfs kolen van wel vijfentwintig kilo en meer. Dat zou allemaal komen omdat zij in verbinding stonden met de geest van de groenten zelf. En tot ieders verbazing werd inderdaad vastgesteld dat het verhaal van de kool geen gerucht was, maar dat door een of andere merkwaardige omstandigheid de dorre heidegrond van de Findhornbaai was veranderd in ideale grond om groenten te verbouwen. De geleerden die een en ander onderzochten, stonden dan ook voor een raadsel. Wat was daar nou precies aan de hand?

Om daar achter te komen, moeten we weten wie Eileen Caddy is omdat zij en haar man Peter, evenals hun vriendin Dorothy Maclean, de zieners waren die de Findhorngemeenschap van het 'nieuwe tijdperk' stichtten.

Eileen en Peter (beiden geboren in 1917) ontmoetten elkaar toen Eileen en haar man Andrew, een officier van de Engelse luchtmacht, met hun vijf kinderen in Irak woonden. Peter (een collega van Andrew) en Eileen voelden zich onmiddellijk tot elkaar aangetrokken en Peter, die zeer veel belangstelling had voor spirituele leringen en over een buitengewone vitaliteit beschikte, vertelde haar dat hij haar in een openbaring had gezien als zijn 'tweede helft' voor een groot werk dat zij samen moesten doen.

Eileen kon eerst niet besluiten haar gezin te verlaten. Maar Andrew nam het besluit haar en de kinderen zes weken voor het einde van zijn dienstperiode in Irak, naar Engeland te sturen. Peter vergezelde hen en in die periode begon ze in te zien dat haar toekomst bij hem lag. Ze schreef Andrew en vroeg hem te willen toestemmen in een scheiding. Maar zodra hij haar brief kreeg, vloog hij naar Engeland. Hij nam het voogdijschap over de kinderen op zich en Eileen kreeg te horen dat ze haar kinderen nooit meer mocht zien.

Hoewel zij gebroken was van verdriet, drong het tot haar door dat zij 'om verder te gaan in het nieuwe, volkomen moest breken met het oude'. Zij en Peter moesten samen verder.

Maar hoewel de vrouw van Peter, Sheena, hun relatie als geëindigd beschouwde en hem had gevraagd elders naar de ware partner om te zien, was hij toch nog getrouwd. Sheena was een krachtige spirituele lerares, en Peter nam Eileen mee om bij haar te logeren. In de toestand waarin Eileen verkeerde, met het verdriet om het verlies van haar kinderen, was dat bepaald geen goede oplossing en bovendien kon ze helemaal niet opschieten met Sheena. Maar al gauw gebeurde er iets waardoor haar spirituele leven volledig veranderde.

Zij was met Peter en Sheena naar Glastonbury gegaan en daar zat zij in alle rust in een kleine kapel.

'Ik voelde me ellendig en hoewel ik niets van mediteren wist, had ik wel geleerd te bidden en ik zei: ''God, u moet me helpen'''.

Ze kreeg toen een diep vredig gevoel en vervolgens hoorde ze in de stilte op heldere, gezaghebbende toon de woorden: 'Wees rustig en weet dat ik god ben'. Ze wachtte en weer was daar die stem. Deze keer zei de stem dat alles zich voor haar ten goede zou keren als ze altijd luisterde en stap voor stap de leiding zou volgen die haar werd gegeven.

Het is niet onredelijk de deugdelijkheid van zo'n ervaring in twijfel te trekken. Eileen verkeerde in een toestand van grote zielsangst en werd gekweld door schuldgevoelens. De troost die Peter haar kon geven, werd afgezwakt door de aanwezigheid van Sheena. Zij moet wel het gevoel hebben gehad in een crisissituatie te verkeren die nauwelijks te verdragen was. In die omstandigheden is het niet moeilijk ergens, waar dan ook, troost te zoeken en je misschien wel in te beelden dat god zelf je komt troosten. Dat zou de sceptische, zij het ook sympathieke, visie zijn.

Maar er is nog een andere visie. Op momenten van grote wanhoop, als het lijkt alsof alle wereldse dingen ons in de steek laten, kan het hart zich openen op een nieuwe manier die tot een volkomen andere verhouding met het bestaan kan leiden. Het is alsof je de ellende van het zelf moet zien en ook de totale machteloosheid van dat zelf moet ervaren; pas dan kan er een andere toestand ontstaan (en vaak gebeurt dat terwijl je je nog in de diepste ellende bevindt).

Eileen zelf zegt op haar nuchtere manier: 'Als je stemmen begint te horen en problemen hebt, dan vraag je je meestal af of je in een psychiatrische inrichting zult eindigen. Ik dacht dat ik geheel zou instorten, dat is werkelijk waar. Maar zo begon het allemaal, meer dan dertig jaar geleden, en sindsdien beheerst die stem mijn leven. Dat is de essentie van mijn leven. Luisteren, en niet alleen luisteren, maar uitvoeren wat ik te horen krijg'.

'Luister, luister, luister,' sprak de stem tot haar. 'Je moet veel luisteren om een goede luisteraar te worden. Je moet tijd doorbrengen in absolute stilte en leren slechts te zijn'.

Er volgden nog enkele nare jaren van twijfel. Ze woonde nog steeds bij Sheena en ze miste Peter heel erg als hij in het buitenland was; jaren vol schuldgevoelens omdat ze haar man had verlaten, haar kinderen in de steek liet, haar vrienden kwijt was en nu samenwoonde met een getrouwde man. Uiteindelijk nam Peter ontslag bij de Engelse luchtmacht en samen met Eileen – en het kind waarvan zij in verwachting was – kocht hij de caravan die op een goed moment hun enige thuis zou zijn.

Na verloop van tijd was Peter gescheiden en konden zij trouwen. Peter was tot directeur benoemd van het Cluny Hill hotel in Findhorn en hun leven kwam in rustiger vaarwater. Maar vijf jaar later vond men zijn ideeën te geavanceerd en dat kostte hem zijn baan. Het gezin had toen geen werk en ook geen huisvesting meer. Ze verhuisden met de caravan naar de allerlaatste plaats die ze ooit uitgezocht zouden hebben – een akelige winderige hoek van een caravanpark aan de baai van Findhorn, 'omdat god zei dat ze daarheen moesten gaan'.

Gedurende de jaren dat zij in het hotel werkten, waren zij bevriend geraakt met Dorothy Maclean, een Canadese en een leerlinge van Sheena. Zij hadden samen gewerkt in Cluny en nu ging Dorothy met Eileen en Peter mee.

De volgende zes of zeven jaar waren voor Eileen misschien wel de vreemdste, maar ook de meest verhelderende en beste jaren van haar leven. Zij leefden van de werkloosheidsuitkering die Peter en Dorothy kregen, drie volwassenen en drie levendige jongens in een piepkleine caravan.

'Het was een heerlijke plek om lessen te leren, al die oneffenheidjes glad te schuren... Een van de belangrijkste lessen die ik leerde, was lief te hebben waar je bent, lief te hebben wat je doet en de mensen in je omgeving lief te hebben. Ik leerde drie heel belangrijke dingen – geduld, doorzettingsvermogen, standvastigheid. En met drie volwassenen in die caravan was het zeker nodig veel geduld te hebben. We waren zo klein behuisd, de slaapkamer was de eetkamer, de zitkamer, de speelkamer – alles. Het was allesbehalve makkelijk de rust en kalmte te vinden om te mediteren. Uiteindelijk vroeg ik god: ''Hoe denkt u dat ik de mogelijkheid kan scheppen om eens even rustig te gaan zitten''? En ik kreeg het antwoord naar de openbare toiletten te gaan en daar te mediteren. En dat deed ik, iedere avond weer. Als het hagelde, regende, sneeuwde, onder alle omstandigheden, zomer en winter. Ik begon te beseffen dat het niet uitmaakte waar ik was, god is binnen in mij'.

Eileen schreef ieder woord op dat de stem sprak, zodat zij en ook de anderen die woorden in praktijk konden brengen. Tegelijkertijd kreeg Dorothy tijdens haar meditaties innerlijke leiding omtrent de beplanting van de tuin, en dat zou Peter op zijn energieke en creatieve manier uitvoeren.

'Ik denk dat ik tot taak had die twee, die het innerlijke werk deden, te beschermen', zegt Peter, 'en dat ik de vorm moest opzetten, het visioen een basis moest geven, iets moest doen. Ik herinner me dat ik 's zomers van acht uur 's morgens tot elf uur 's avonds in de tuin werkte, met een uur pauze om even te zwemmen en een boterham te eten.

Als ik er ooit over nagedacht had, zou ik zeker bedacht hebben hoe dwaas het was te tuinieren op zand- en kiezelgrond, en met die harde wind... Maar we hadden gehoorzaamheid en discipline geleerd, en ik denk dat dit ook wel het ABC van het spirituele leven is, en we werden geleid op dit pad. Ik had het vurige verlangen die energie in de grond te stoppen en die tuin aan te leggen. Als ik terugblik en erover nadenk, lijkt het verstandelijk absoluut geen zin te hebben'.

In het begin dachten zij dat al het werk dat zij deden alleen voor henzelf van belang was En zelfs toen de gemeenschap groter begon te worden, zagen zij de hele onderneming als hun persoonlijke onderneming.

'De leidende stem vertelde dat er duizenden mensen naar deze plek toe zouden komen', zegt Eileen, 'en ik vroeg mij af wie er in hemelsnaam naar dit vreselijke oord wilde komen. De stem zei dat we op een enorme manier zouden gaan uitbreiden – dat stond allemaal geschreven – en ik dacht toen: ''Nou, ik moet het allemaal nog zien, ik denk dat ik langzaam maar zeker gek word'''.

Maar door de instructies van de leidende stem nauwkeurig op te volgen, kwamen ze uiteindelijk tot de ontdekking dat zij de voortrekkers waren van wat je kon beschouwen als een mystieke religie en een nieuw tijdperk voor de mensheid.

Hoe richtte de stem zich tot Eileen?

Er was verschil tussen de boodschappen die Eileen ontving en die Dorothy hoorde. Dorothy begon met mediteren over het feit hoe zij groenten konden verbouwen voor zichzelf. Zij concentreerde zich op erwten en tot haar verbazing kwam ze op zekere dag in aanraking met het oertype van de erwt, een tegenwoordigheid die ze eigenlijk beschouwde als een geest, of *deva* (een lichtende). De geest van de erwt vertelde haar precies welke omstandigheden noodzakelijk waren om erwten te telen – de samenstelling van de grond, hoe ze geplant moesten worden, enzovoort. Peter voerde die instructies letterlijk uit, met het gevolg dat ze een enorme oogst aan erwten hadden. Dorothy ging door met te trachten contact te krijgen met de *deva's* van alle groenten die zij nodig hadden, en ook met de grond zelf; op die manier konden zij in eigen onderhoud voorzien op de kale, met brem begroeide zandgrond van de prachtige baai van Findhorn – die inderdaad stralend is, van het geluid van de kabbelende golven van de kalme zee tot het uitzicht op de blauwe bergen van de ver verwijderde Hooglanden.

Eileen kreeg evenwel niet alleen nauwkeurige instructies hoe de gebouwen geconstrueerd moesten worden, maar zij kreeg ook spirituele leiding. Zij hoorde niet alleen die stem, maar ze had ook visioenen en ze schreef altijd alles op. Zij heeft nooit een moment getwijfeld aan de juistheid van dat alles, maar wel bleef ze zich erover verbazen dat het juist haar overkwam. Maar ze zag ook wel in dat ze zich moest houden aan een bepaalde discipline. Het was beslist van essentieel belang dat zij tijd vrijmaakte om te luisteren en notities te maken. 'Je moet weten dat een vriendin en ik – toen de gemeenschap groter begon te worden, nu ca. negen jaar geleden, iedere dag de lunch en de avondmaaltijd verzorgden. En dan vroeg ik: "Hoe verwacht u nou dat ik tijd vrijmaak om rustig te mediteren"? En dan kreeg ik het volgende antwoord: "Je hebt toch de hele nacht". Dat is allemaal wel heel aardig, maar hoe krijg ik het voor elkaar? En dan dacht ik, wat het zwaarst is, moet het zwaarst wegen. Dus als ik twee of drie uur geslapen had, besteedde ik de rest van de nacht aan wat ik noemde: mij geheel toevertrouwen aan god. Ik merkte dat ik op een hoger peil van bewustzijn aan het werk was en dat maakte ook dat ik niet uitgeput raakte. De resultaten waren dan ook wonderbaarlijk. Dat kwam door mijn discipline, maar ik zou een ander niet durven raden het ook zo te doen. Zo was het ook met mijn eten. Ca. negen jaar geleden werd mij gezegd slechts één maaltijd per dag te nuttigen en verder zoveel mogelijk rauwkost – dat werkte reinigend.

Ik vast nog steeds om mezelf te reinigen. Je moet weten dat de gemeenschap een spirituele gemeenschap is, maar als je met 250 mensen bent, wordt dat wel eens vergeten en raakt de geest heel gemakkelijk op de achtergrond. Maar ik vind dat de spirituele essentie het belangrijkste is van alles, belangrijker dan al deze gebouwen en al het werk dat verzet wordt, omdat ik dat zo voel: "Zoek eerst het koninkrijk gods en alles zal u gegeven worden". En ik moet er zijn voor de gemeenschap – daarom vast ik – hoewel ik tracht me nergens mee te bemoeien. Ik vind dat ik hier moet zijn om de spirituele essentie te verankeren zodat zij er gebruik van kunnen maken.

Maar, weet je, het probleem is dat ik zo gedisciplineerd leef en nu heeft de stem gezegd: "Leef door de geest, je hoeft je niet meer zo gedisciplineerd te gedragen". Maar als je gewend bent op een bepaalde tijd op te staan en naar de plaats te gaan waar je altijd mediteert, dan wordt dat een gewoonte en het is uiteraard een goede gewoonte, maar alles wat teveel een vaste

gewoonte wordt, of dat nou die leidende stem is, of bidden, wat
het ook is, het gaat eraan – shht... weg is het – zo wordt het
oude afgebroken zodat er iets anders voor in de plaats kan
komen. We moeten leren los te laten en dat is zo moeilijk. En
het is niet juist als verontschuldiging aan te voeren dat die
leiding zo goed is en de mensen daardoor geholpen worden en
waarom kan dat niet voortduren dat ik geleid word? ''Omdat
het een vaste gewoonte is geworden en dan moet er gewoon een
eind aan komen''. En dat is juist, want op die momenten
vinden er veranderingen plaats.

Voor mij is verandering van essentiëel belang. Ik was erg
negatief en zag alles en iedereen met een zwart randje. De
verandering van mijn bewustzijn betekende dat mijn negatieve levensopvatting veranderde in een positieve. Ik zag het
goede in iedereen en ik wist dat god in alles is. En ik denk dat
men daarom naar Findhorn komt. Men volgt de cursussen en
er treedt een verandering op in het bewustzijn, in het denken,
in de hele kijk op het leven. En zij gaan weer weg met de blik
omhoog gericht.

Ik heb mezelf wel eens vergeleken met een plant die uit zijn
pot barst. Mijn wortels staken aan alle kanten uit, door de
bodem van de pot en van boven uit de aarde. Ik voelde me heel
veilig in die kleine pot en ik wilde er ook niet uit. Maar als alles
bij het oude bleef, zou ik heel gewoon doodgaan. Dus wat doe
je met een plant die uit de pot barst? Die geef je een grotere pot.
En hoe doe je dat? Je probeert hem zachtjes uit de pot te
kloppen en als dat niet lukt, moet je de pot zien te breken en
alle wortels netjes ordenen. En ik realiseer me dat dit nou
precies is, wat er met mij gebeurde. De pot moest gebroken
worden en de wortels geordend. Dat was zeer pijnlijk en heel
akelig. Toen moest ik in een grotere pot worden geplant en
toen ik uit die pot groeide, werd ik buiten neergezet.

We moeten het feit onder ogen zien dat we vastlopen. En ik
geloof dat wij allemaal op het spirituele vlak dorre periodes
doormaken, zoals ik dat noem. Maar toch is er onafgebroken
beweging. Ik denk ook niet dat ik ooit zal stoppen, ik blijf
steeds leren. Dat maakt het leven zo opwindend, zo aangrij-
pend. En ik zie de dood niet als een halte, maar als een verder
gaan naar het licht. Er is niets te vrezen. De dood betekent

165

alleen maar dat de oude mantel wordt afgeworpen en de geest voortgaat'.

Alhoewel de stem die Eileen hoorde, de inspiratie achter Findhorn was toen het werd opgezet – zij kreeg bijvoorbeeld te horen dat er, toen de gemeenschap nog maar dertig mensen telde, een eetzaal voor 200 mensen gebouwd moest worden en dat daarvoor het beste cederhout moest worden gebruikt – was de spirituele training voor haar toch het allerbelangrijkste. Iedere dag te beginnen, alleen met god, was een essentieel onderdeel van de discipline:

> Ik wil dat je de dag begint met Mij te vinden
> Juist daar
> In het centrum van je wezen...

Spirit of Findhorn

Eileen kreeg te horen dat zij zich altijd gewaar moest zijn van de aanwezigheid van de innerlijke stem, klaar om die stem te allen tijde te horen zodat hij gemakkelijk contact met haar kon maken, net zo simpel als het aansteken van elektrisch licht. Het luisteren naar de stem moet net zo natuurlijk gaan als ademhalen. Het moet zonder inspanning gaan, zonder in een speciale toestand te verkeren, maar wel moet ze de stem overal en altijd kunnen horen, ongeacht de toestand waarin ze zich bevindt.

Zij zou zich nu en dan te midden van het lawaai van veel stemmen bevinden en dat kon haar gemakkelijk in verwarring brengen, werd haar gezegd. Maar ze moest naar die ene stem luisteren, het enige ware geluid voor haar, en die leidende stem moest zij volgen.

'Welke weg je ook neemt, ik geloof dat iedere weg uiteindelijk toch terugkeert naar het innerlijk. We moeten het vinden in ons eigen wezen, daarbuiten vinden we het niet. We kunnen zoeken en zoeken; zoeken naar een andere partner of zoeken naar hulp van buitenaf – maar we zullen toch steeds terugkeren naar de goddelijkheid in onszelf. Dat is wat ik moest doen, en wel op mijn eigen houtje, daar moest ik mee werken en mediteren en bidden, en nu weet ik ook dat niemand het me

166

kan afnemen als ik iets van binnenuit ontvang. Het is er altijd.
Ze zeggen wellicht: "Ze is gek, ze heeft het bij het verkeerde
eind", maar niemand kan het wegnemen. Voor mij is het heel
kostbaar. De dingen die mij van binnenuit worden geopen-
baard, waardeer ik geweldig'.

Zij ontkent hevig dat zij een speciaal iemand is of op de een
of andere manier was voorbestemd. Ze gelooft eerder dat
iedereen die waarlijk *luistert*, geleid kan worden als men die
leiding maar volledig volgt en vooral niet halfslachtig. Zij
gelooft dat wij allemaal als kanaal kunnen fungeren waardoor
god werkt en dat we in ons binnenste moeten speuren om uit te
vinden wat voor werk we moeten doen.

Concentratie is de juiste houding voor het werk, zo werd
Eileen gezegd. Concentratie op één ding tegelijk en dat perfect
doen, betekent gewaarzijn van het goddelijke brengen, want
dat is in alle dingen. Werk moet 'liefde in bedrijvigheid' zijn,
werken in harmonie met wat er is. Op die manier wordt werk
het middel 'waardoor iedereen en alle dingen zich wellicht
hun potentiële goddelijkheid realiseren'.

'Als je een vuile vloer hebt, schrob die dan en maak hem
vlekkeloos schoon, boen vervolgens totdat die vloer glanst, dan
wordt de liefde waarmee je het werk verrichtte, teruggekaatst.
Zo wordt de goddelijkheid van die vloer te voorschijn
gehaald'.

Eileen gelooft dat de geest van Christus leeft in de dingen die
je met vreugde en goed hebt gedaan, want dat is de functie van
Christus – alle stof te verheffen en tot kennis van de eigen
schoonheid terug te voeren. Hierin vind je wel overeenkom-
sten met Meinrad Craighead. Eileen ziet de strijd en de
vooruitgang van een mens alsof iemand de 'Christus-energie'
heeft ontvangen, zoals zij dat noemt. Zij vindt ook dat je niet
verlegen hoeft te worden bij die gedachte, maar de wereld
moet verkondigen dat je deze 'Christus-energie' hebt gekregen. Zij bedoelt daarmee niet zozeer dat je je één kunt voelen
met Christus als wel met de energie van Christus, die het
universum doordringt.

'De Christus is die geweldig krachtige en transformerende
energie die wij allemaal in ons hebben, maar we moeten die
energie als zodanig herkennen en aanvaarden, waarna we die

moeten aanwenden voor het welzijn van het geheel... Ik zat onlangs in de meditatie-ruimte. Om te mediteren maak ik gebruik van plechtige verklaringen omdat ik vind dat dit gereedschap is dat we hebben gekregen om te gebruiken. Zo'n plechtige verklaring die ik al enige tijd gebruik, is: "Ik eis mijn Christus-zijn nu op". En toen begon ik na te denken over dat opeisen van het Christus-zijn. Christus is licht en ik vond dat ik een plechtige verklaring nodig had met het Christus-licht. Ik merkte dat ik zei: "Ik eis mijn Christus-licht nu op. Ik ben een baken van licht. Ik ben een wezen van licht. Ik ben het licht van god. Ik ben het licht van de wereld".

En ik zei dit keer op keer, omdat ik vind dat je dat moet doen om te ontdekken of je je daar prettig bij voelt, om te weten of het iets is dat je anderen in woorden kunt vertellen zonder daar een onplezierig gevoel bij te krijgen. En toen ik het weer zei, gebeurde er iets vreemds met mij. Het was alsof mijn hele wezen werd vervuld van licht. En ik kwam tot het besef dat, als je wezen vervuld is met licht, je naar iedere willekeurige donkere plaats op de planeet kunt gaan maar dat licht toch zal blijven schijnen en de duisternis zal het licht geen weerstand kunnen bieden. Je kunt helpen de donkere plaatsen te verdrijven. En ik merkte dat ik huilde. Waarom huil ik? En toen werd het me volkomen duidelijk – dit is iets wat alle mensen moeten doen, hun Christus-licht nu opeisen. En weten dat zij bakens van licht zijn en dat ze dit licht verder kunnen laten schijnen en dat dit de manier is waarop er steeds meer licht kan worden geschapen in de wereld'.

Vanaf het begin is het je op elkaar afstemmen van vitaal belang in Findhorn. Elke werkgroep heeft er zijn eigen tijden waarop men dat tracht te verwezenlijken. De leden van de groep houden elkaars handen vast en kijken zwijgend in hun binnenste om de ware essentie te vinden.

Leer alles los te laten
En kom tot Mij voor herstel en eenwording.
Elk moment, samen in mijn tegenwoordigheid doorge-
bracht
Smeedt u aaneen...

Foundations of Findhorn

In de loop der jaren zag Eileen de vijf kinderen uit haar eerste huwelijk terug en zij verzoende zich met haar eerste man voordat hij stierf. Naarmate zij tot rijpheid kwam, vond zij dat zij de stem niet meer hoorde, maar dat die een deel van haar was geworden. Zij kan de stem nu tot uitdrukking brengen zonder de noodzaak iets te horen.

'Ik heb het punt bereikt dat ik weet dat er geen afgescheidenheid is. In het begin was het meer alsof een vader tot een kind sprak. Het begon toen ook met: "Mijn geliefd kind". Later, toen de relatie naar het hoogtepunt groeide, was het: "Mijn geliefde" en langzaam, heel geleidelijk was er geen afstand meer tussen god en mij. Alleen maar "ik ben". Je komt dus op een punt waar je kunt zeggen: "Ik en de vader zijn één". Maar dat is wel een proces dat je stap voor stap moet doormaken.'

Op dezelfde manier vindt ze dat ze lichter is geworden, minder ondoorschijnend. In het begin van de tachtiger jaren verliet Peter haar en de gemeenschap. Dat was een droevige tijd voor haar, maar het hielp haar wel te begrijpen wat zij zag als de ware aard van mannelijk en vrouwelijk – en dat houdt in dat we altijd afhankelijk zullen zijn van een partner, totdat iedereen innerlijk het juiste evenwicht tussen mannelijk en vrouwelijk heeft gevonden. Als dat evenwicht er eenmaal is, kan ieder mens onafhankelijk zijn en zich totaal overgeven.

'Een van de dingen waar ik al een hele tijd aan werk – in het bijzonder nadat Peter wegging – is leren liefhebben, onvoorwaardelijk liefhebben. Wat houdt dat in? Voor mij is het een kwestie van leren liefhebben zonder enige verwachting en zonder iets te eisen. Op die manier kunnen we allemaal de vrijheid hebben te groeien. Als we een probleem hebben en we hebben geleerd lief te hebben, weten we ook dat onvoorwaardelijke liefde altijd het antwoord is'.

Findhorn gedijt meer dan iemand had kunnen voorspellen. Het caravanpark is erbij gekocht en het Cluny Hill hotel eveneens. Dat enorme gebouw wordt nu gedurende het hele jaar gebruikt voor cursussen en lezingen over onderwerpen die het nieuwe tijdperk betreffen. De gemeenschap is behulpzaam geweest de Moray Steiner-school op te richten waar alle kinderen naar toe kunnen. En nu overweegt men zich met politiek en economie in te laten, omdat men het gevoel heeft de wereld veel te kunnen bieden.

In zo'n grote gemeenschap werkt iedereen en kan ook iedereen alle karweien aanpakken, zodat er geen hiërarchie met privileges kan zijn. Er is een leidende 'kern', maar de meeste beslissingen worden met algemene stemmen door de hele gemeenschap genomen. En nog steeds zijn leiding en overeenstemming de grondbeginselen, hoewel Eileen niet meer zo actief in de gemeenschap is als ze eens was. Zij beweegt zich tegenwoordig meer in de buitenwereld en ze reist ook vrij veel. Ze tracht de leiding die zij kreeg, door te geven aan alle groepen die zij bezoekt, evenals de wegen die leiding te vinden. Hieronder volgt een fragment van de lezingen die zij houdt.

'Ik spreek tot mijzelf, wees stil, wees stil, wees stil. Of ik open mijn ogen en richt mijn blik op de vlam van een kaars of op een bloem in het midden van de kamer.

Concentratie betekent de geest op één ding richten. Dat maakt de geest steeds sterker waardoor deze zich ook makkelijker op één ding kan richten.

Laat angst nooit toe, dat blokkeert het contact. Wees moedig en standvastig en laat je leven leiden door god.

Ontspan vervolgens – en tracht dan iedere spier in je vuisten te voelen.

Bal je vuisten en ontspan ze weer terwijl je diep ademhaalt.

Vergeet dan dat je bestaat. Je zult merken dat je jezelf vergeet als je je lang genoeg op iets concentreert. Je kunt je bijvoorbeeld voorstellen dat er een stroom van blauw of wit licht in het midden van je voorhoofd binnenkomt. Als je liever een geluid hoort, kun je de klank *om* zeggen of zingen.

Uiteindelijk laat je de universele kosmische energie – god – door je heen stromen. Als je dat doet, zul je een doordringend ontspannen innerlijk gewaarzijn voelen. Wellicht voel je heel erg dat je leeft, of dat je zweeft, of dat je een deel bent van de kosmische oceaan of van het universum. Laat eenvoudig over je komen wat je voelt en tracht niets te onderdrukken. Als je dit iedere dag in praktijk brengt, zul je merken dat je hele leven verandert'.

Verhef je hart in diepe dankbaarheid
Want je hebt waarlijk de weg gevonden.

Foundations of Findhorn

DANETTE CHOI

Net als het daarnaast gelegen China, is Korea een land van heilige bergen en rivieren. Toen Danette Choi dertien jaar was, trok zij helemaal alleen de bergen in, op zoek naar de waarheid.

'Ik werd opgevoed met een christelijke achtergrond. Ik las zelfs in de bijbel, maar ik kwam er nooit achter wie er nou eigenlijk in de bijbel aan het lezen was. Ik wilde meer weten en niet alleen maar de woorden lezen die daar gedrukt staan. Ik was wel jong, maar toch vroeg ik mijn vader: "Wie heeft de bijbel gemaakt? Deed god dat of waren het mensen"? Mijn vader vertelde dat de bijbel uiteraard door mensen was gemaakt. Toen zei ik dat ik er dan geen belangstelling voor had. Ik wilde erachter zien te komen wie werkelijk de bijbel had gemaakt en niet de interpretatie lenen van de mensen die eraan gewerkt hebben. Nu ik erover nadenk, geloof ik dat ik trachtte uit te vinden wie ik zelf was. En dat antwoord vond ik niet in de bijbel, dus ik ging ervan uit dat er iets anders was dat ik moest zien te vinden. Ik wilde weten waarom ik bestond in deze wereld, waarom ik geboren werd, waarom ik ouders moest hebben om geboren te worden.

In mijn gemeenschap waren heel wat oude mensen en soms ging er wel iemand dood. Juist in die maand dat ik de bergen in trok, waren er een paar oude mannen gestorven die ik erg graag mocht. Ik was niet alleen bedroefd, ik wilde ook weten waar ze heen waren gegaan – en ik dacht dat ik dat soort dingen wellicht in de bergen zou kunnen vinden.

Maar toen ik de berg beklom, was er helemaal geen leraar. Ik was een meisje en zeker in die dagen werd er nog een groot verschil gemaakt tussen mannen en vrouwen. Ik ging naar de tempel om te zien hoe het daar was, maar omdat ik een meisje was, keken ze niet eens naar me. Er was één monnik in de tempel en ik vroeg hem me een paar dingen uit te leggen. Ik bleef daar drie dagen en stelde vragen. Ik hoopte dat de oude monnik antwoord zou geven, maar hij zei alleen: "Ga weg, meisje"'.

Ik bezocht veel plaatsen, maar ik kon nergens lang blijven omdat ik weer naar huis moest. Steeds als ik vakantie had, ging ik op pad. Ik bleef zoeken en uiteindelijk ontmoette ik een man – een monnik, een verlichte. Hij wilde niets met de samenleving te maken hebben en daarom woonde hij in een grot. Toen ik hem tenslotte vond, wist hij wie ik was, hij kon geestelijk waarnemen. Hij zei: "Oh, je komt een beetje eerder dan ik dacht"!

"Wilt u mij wel onderricht geven"? vroeg ik hem.

"Ja, dat wil ik wel".

Hij zal ongeveer negentig jaar oud geweest zijn, werkelijk een heel oude man en niemand wist wie hij was. Hij had inderdaad een bijzonder hoog peil van inzicht bereikt en hij kon vele wonderen verrichten. Uiteindelijk gaf hij mij onderricht en drie maanden lang bleef ik bij hem om zijn lessen in praktijk te brengen. Toen kwam er een dag dat ik uiteindelijk wist wie ik was, waarom ik bestond en wat er in deze wereld van mij werd verwacht.

Ik was achttien jaar. Hij was de leider van een speciale traditie van het boeddhisme die volgens de geschriften van "De lotusbloem van de verheven wet" te werk gaat en hij bezorgde mij een speciale verlichting. Maar hij maakte zich zorgen. Hij vroeg zich af hoe ik mijn juist verlichte geest in de samenleving moest aanwenden, want dat is het allermoeilijkste. Ik wist genoeg, maar ik wist niet hoe ik dat moest overbrengen op anderen – dat leek me moeilijker dan alles wat ik had geleerd. Toen ik weer naar beneden kwam van de berg, zag ik de mensen heel helder – hun verleden, heden en toekomst. Maar ik raakte nogal van streek omdat ik niet zag hoe ik hier in paste. Ik zag dat mensen trouwden, kinderen kregen, ruzie maakten, geld verdienden, beroemd werden, stierven – dit is de manier waarop alle mensen leven en ik vond dat een dierlijk leven.

Ik zag niet in waarom ik daar ook bij moest horen, maar ik wilde geen zelfmoord plegen, ik wilde alleen maar leren hoe ik kon leven. Maar als ik het Koreaanse leven bekeek, vond ik wel dat dit erg afhankelijk was van de materie, zelfs in het boeddhisme moest je een bepaalde stijl en traditie handhaven en als je niet in overeenstemming daarmee leefde, was je niets.

Ik was achttien jaar en er was geen enkele manier waarop ik het allemaal kon ontlopen, en geven wat ik wilde geven. Zelfs nu mij een bijzondere verlichting ten deel was gevallen, kon ik er niets mee doen'.

Dr. Choi was altijd al paranormaal begaafd geweest. Zelfs als kind van vijf jaar was ze al in staat haar moeder te waarschuwen niet naar de markt te gaan omdat er gevaar dreigde. Ze had voordat zij de berg besteeg nooit begrepen waarom ze die vooruitziende blik had.

'Ik wilde weten waarom ik die dingen kon zien. Waarom? Ook dat was een reden die mij naar de berg deed gaan, om er zeker van te zijn dat wat ik zei, niet alleen maar loze woorden waren'.

Omdat ze wist dat haar waarneming oprecht was, had zij het gevoel de kloof tussen wat zij wist en de manier waarop zij dat aan anderen moest doorgeven, te kunnen overbruggen door hen persoonlijk raad te geven. Dat heeft ze anderhalf jaar gedaan.

'Er waren veel mensen die mij kwamen opzoeken. Op een dag waren er wel honderd mensen die in de rij stonden om een kaartje te kopen voor een bezoek aan mij, maar dat vond ik niet prettig – zo wilde ik het niet. Ik kon het karma van iemand waarnemen en ik wilde de mensen leren dat karma niet te maken'.

Voor dr. Choi betekent het waarnemen van karma dat zij in een oogwenk het verleden van iemand ziet (in de vorm van vorige levens) en dat zij eveneens het heden en de toekomst ziet. Zij doet evenwel nooit uitspraken over de toekomst. Het is heel makkelijk om sceptisch tegenover dergelijke 'kennis' te staan, maar haar betogen zijn verbazingwekkend overtuigend. 'Toen je dertien was, wilde je een eind aan je leven maken', zei ze tegen mij – en dat was juist. Tegen een andere vrouw zei ze: 'Een groot deel van je leven had je de manier van denken van een man, maar vanaf een jaar of vijf geleden ben je langzamerhand helemaal vrouw geworden', – en wederom was dat juist. Tegen een man zei ze: 'Zeven jaar geleden begon je energie af te nemen – had ik dat maar geweten, ik had je kunnen helpen'.

Dr. Choi's methoden om te helen, vormen een uitbreiding

van haar karmische 'kennis' en haar geloof dat er een universele bron van energie is waar we een beroep op kunnen doen. De patiënt moet op de grond gaan liggen als zij, al mediterend, naast hem of haar neerknielt, de handen ineengeslagen met de wijsvingers tegen elkaar naar voren gestrekt. Na enige tijd strijkt ze met haar hand over het lichaam van de patiënt, waarna ze soms met beide handen stevig op de borst of de buik of het voorhoofd van de patiënt drukt. Dat kan zich verscheidene keren herhalen. Vervolgens krijgt de patiënt een mantra die in het bijzonder geschikt is voor zijn of haar klachten. De mantra is van groot belang. Door dat herhalen wordt de patiënt in staat gesteld van de energie van dr. Choi af te tappen. Hij werkt als een geleider en is altijd beschikbaar. Na een week beginnen de behandelingen merkbaar te worden en na drie maanden moet de genezing een feit zijn. Dr. Choi wil graag dat de patiënten haar elke drie maanden laten weten hoe het met hen gaat.

Vanaf dat zij als achttienjarige haar landgenoten raad gaf, hebben haar methoden in de loop der jaren een grote ontwikkeling doorgemaakt. In 1968 ging zij naar Hawaii en daar volgde zij colleges die het haar mogelijk maakten godsdienstwetenschappen te gaan studeren.

'Na mijn studie wilde ik alle niveaus van het leven leren kennen, van het laagste tot het hoogste. Ik was op een bepaald moment eigenaresse van verscheidene zaken en leidde een gezellig leven. Ik was getrouwd en had een zoon. Er gebeurde een heleboel met mij, soms omdat ik dat zo wilde maar ook wel spontaan alsof mijn karma de leiding nam. Ik vroeg me af waarom ik al die ervaringen moest doormaken? Als ik mediteerde, leek het wel alsof mij werd gezegd dat het goed was zo.

Uiteindelijk deed ik mijn zaken aan de kant en tien jaar geleden begon ik les te geven in zen. In het begin was dat nogal moeilijk omdat iedereen in Korea wist wie ik was en men verwachtte dan ook dat ik een tempel zou openen zodat men mij kon opzoeken. Ik had dat altijd geweigerd, en had gezegd: Dat wil ik niet, kom niet naar me toe en vraag dat ook niet. Maar nadat ik had besloten zen te gaan doceren, dacht ik er wat makkelijker over. Toen ik achttien was, kende men mij op een andere manier, men wilde zich verlaten op wat ik zei en dat vond ik niet prettig. Maar nu wil ik niet dat iemand afhankelijk is van mijn advies, hoewel ik zijn of haar karma heel goed zie. Daarom zeg ik nooit iets over de toekomst. Want als ik dat wel zou doen, zouden ze niet kunnen oefenen hun karma te elimineren. Het is mijn grootste wens dat de mensen ontdekken wie ze zijn. De hele wereld is één grote familie, één geest, er is niets om angst voor te hebben. We kunnen onze plicht doen en in het leven van alledag heel goed functioneren – op die manier kunnen we ons mens-zijn ook werkelijk begrijpen. Ik geef er daarom de voorkeur aan de mensen te leren hun karma waar te nemen, maar het is wel zo dat ik dat karma ook moet waarnemen om iemand in de richting te leiden die voor hem of haar de juiste is'.

Dr. Choi geeft lessen op het gebied van Dharma in de Zenschool van de Koreaanse meester Seung Sahn, wiens methoden heel direct en eenvoudig zijn. Maar haar lessen zijn eveneens gebaseerd op de kennis die zij verwierf van haar eerste leraar op de berg – kennis omtrent de diverse bewust-zijnsniveaus. Zij begint met het zesde bewustzijn, misschien kunnen we dat beter onbewustzijn noemen – een dier dat zich als een dier gedraagt, een vogel als een vogel, enzovoort. Het zevende bewustzijn is een menselijk bewustzijn, maar lijkt op dat van een robot; dat wil zeggen dat die persoon zich nog niet geheel bewust is van oorzaak en gevolg, en ook geen gevoel van eigen verantwoordelijkheid heeft ontwikkeld. De meesten van ons leven als regel volgens het achtste bewustzijn. Dr. Choi noemt dat het 'karma-magazijn', de opslag in het eigen bewustzijn van honderden levens.

'Al je levens hebben voorraad toegevoegd aan dit magazijn en dat draag je allemaal met je mee. Toen je werd geboren, gedroeg je je en praatte je volgens dit karma dat in vorige levens werd opgebouwd. En wat gebeurt er dan? Je bent een slaaf van je karma en ver verwijderd van je ware zelf, en wat nog erger is, je bent niet in staat dat te onderkennen. Dat is de reden waarom een heleboel mensen op deze wereld anderen veroordelen. Daar houd ik niet van. Het betekent dat je oordeel niet juist is als je alleen vanuit je eigen karma oordeelt.

Dus tracht ik mensen te leren geen aandacht te besteden aan de uiterlijke vorm. Wat is er nog meer, daar ver voorbij? Dat noemde we god, of energie, of geest. Ik hoop dat iedereen dat punt bereikt.

Als je zover bent, kom je in het negende bewustzijn. Dat is volmaakt, en helder als een spiegel. Dat bewustzijn schept het hele universum – bergen, bomen, alles – dat is wat we volmaakte energie noemen, en als je het een naam wilt geven, is dat liefde. Ik noem het liefde omdat het geen onderscheid maakt tussen goed en kwaad, zin of tegenzin bij het scheppen van bergen of water. Het is volmaakte liefde. Maar als dat achtste bewustzijn er nog steeds is, volgeladen door je karma, ben je nog een heel eind van die liefde verwijderd. Het negende bewustzijn betekent onvoorwaardelijke liefde en dat kent geen goed of kwaad. Daar bestaat geen "ik-mijn-mij".

Als je in het negende bewustzijn bent, is je oog ook je oog, je neus je neus, je tong je tong, maar als je dat negende bewustzijn niet verkrijgt – dan is het niet je oog, je hebt er slechts ideeën over. Daarom stellen we in zen die vraag: wie ben je? Ik ben iets, betekent dat jij het niet bent, maar dat je iemand maakt uit het zesde, zevende of achtste bewustzijn.

Als je je deze waarheid eigen maakt, ben je elk moment bij alles wat je doet, in dat bewustzijn en dat betekent dat je één bent met het universum, je bent één met de waarheid. Dan is het leven van alledag al volmaakt en handel je van moment tot moment.

We komen uit een zuivere wereld, als een witte muur zouden we kunnen zeggen. Maar door onze daden en gedachten maken we een heleboel krassen op die muur en dan denken we dat die krassen de werkelijke wereld en ons ware zelf zijn. Maar dat is niet de waarheid. We moeten de karmische krassen verwijderen en de waarheid daarachter te voorschijn laten komen. We zijn zeer bevoorrecht als mens geboren te worden en daar moeten we dan ook dankbaar voor zijn, maar het gebeurt maar al te vaak dat mensen lijden door dat krassen, krassen, krassen. Ik weet niet hoelang deze wereld zal bestaan, maar ik raad iedereen aan te mediteren. Tien minuten kan toch geen probleem zijn, misschien zelfs wel een half uur en je geest wordt kalm en stil. Dan kun je ook te weten komen hoe je je geest zo nuttig mogelijk kunt gebruiken. Van de natuur krijgen we zes zintuigen, waaronder ook de geest en als we oefenen, kunnen we heel goed leren hoe we dat zesde zintuig moeten gebruiken. We weten heel vaak niet hoe we er een juist gebruik van moeten maken en daarom is er zoveel lijden onder de mensen. We hebben een prachtige wereld, maar die ontwijden we.

Vaak regelen we alles zoals dat voor ons het gemakkelijkst is, alsof de wereld louter als achtergrond bestaat. Als je ontdekt dat dit onjuist is, ben je zelf ook niet langer het middelpunt. Je bent dan niet egocentrisch meer en je ontdekt dat alles waarvan je dacht dat het niets anders dan achtergrond was, ook een eigen leven leidt. En dan ben je één met het universum en ook een deel van deze prachtige levende wereld. Als de geest helder is, wordt alles, de geest van de mens en de universele geest, één. En dan werk je samen met het universum, het universum ben jij.

Maar als je nog steeds een egocentrisch ''ik'' bent dat in het middelpunt wenst te staan, ben je alleen maar een ''kras-ik'' dat bezig is die karmische krassen te maken. Die ''kras-ik'' schept zijn eigen wereld. Als je die wereld bekijkt en nooit de waarheid vindt, is die wereld niets anders dan zomaar een wereld. De schepping van de wereld kwam tot stand door onvoorwaardelijke liefde, maar wij menselijke wezens leven met geconditioneerde liefde. Dat is het verschil – als je de waarheid vindt, is dat onvoorwaardelijk, zonder één enkele voorwaarde. En toch weten we dat eigenlijk altijd wel, en omdat we niet volslagen dom zijn, lijden we ook.

In deze twintigste eeuw zijn er een heleboel mensen die gestudeerd hebben, en zij zijn heel knap – eigenlijk te knap. En wat gebeurt er dan? We gebruiken alleen maar ons denkvermogen in plaats van onze ware geest en dan maken we het erg ingewikkeld en lijden og meer. In lang vervlogen tijden kende men alleen het simpele lijden van honger of iets dergelijks. Maar in onze dagen vonden we gecompliceerde aandoeningen uit en het allerbeste is dan ook de intelligentie schoon te vegen. Ons bewustzijn is erg sterk tegenwoordig en we handelen wel, maar we weten niet waarom.

We moeten ons gewaar worden van ons karma. Ik kan het

karma van iemand anders zien, maar tussen mijn waarneming en de waarneming van een of ander medium ligt een groot verschil. Mijn waarneming gaat van moment tot moment, weerkaatst als een spiegel. Dan vergeet ik alles weer – er blijft bij mij niets achter. Een astroloog daarentegen moet een heleboel onthouden, dat bedoel ik. Maar ik houd daar niet zo van. Ik zie het moment als het daar is. Daarom ging ik naar die berg toen ik dertien was. Ik wilde zeker weten dat wat ik zag, geen loze woorden waren.

Dertien is een heel goede leeftijd. Als je met vier jaar begint, ben je bij het zevende bewustzijn. Na het elfde jaar begint het achtste bewustzijn zich te ontwikkelen. Dus met elf, twaalf, dertien jaar moet je gaan mediteren en oefenen. Met dertien jaar hebben we een heel helder bewustzijn. Je wordt dan nog niet belemmerd door alle stof, je kunt makkelijk verlichting ontvangen. Het is allemaal heel eenvoudig omdat je nog niet vastzit aan maatschappelijke vormen en nog niet al te veel verlangens hebt. Dat achtste bewustzijn wordt vaak geblokkeerd door de drie vergiften – hebzucht, woede en onwetendheid. Als je op je dertiende zuiver bent, weet je al op je achttiende of negentiende, als je naar de universiteit gaat, wat je van je leven wilt maken. Op die manier spaar je veel tijd en kun je anderen, die lijden, helpen.

Ik was in mijn vorige levens vele malen een monnik of een non. En mijn achtste bewustzijn, dat zich in dit leven ontwikkelde, maakte dat ik de mooie kleren die mijn vader me gaf en het heerlijke eten dat mijn moeder bereidde, weigerde – dat was niet wat ik wilde. Ze konden dan ook alleen maar vragen: "Waarom wil je naar die berg? Het ontbreekt je toch aan niets"? Ik had geluk, ik kwam uit een welgestelde familie en mijn vader zorgde heel goed voor ons'.

Zen zoals dr. Choi die onderricht, benadrukt dat we uit onze 'ik-mijn-mij'-geest moeten groeien:

'Onze menselijke natuur is van oorsprong zuiver en schoon. Iedereen bezit die grote schat. Als je dit heel diep tot je door laat dringen, komt de wijsheid en het mededogen. Als iemand een ander wil doden of kwaad wil doen, en je loopt met deze mee, wat is dat dan? – dat is iemand die een ander helpt. Dat is wereldvrede, de wereld is niet iets dat ergens anders is. Je kunt die wereldvrede zelf bewerkstelligen.

Meditatie is niet iets om winst uit te behalen. Het is een werktuig om hart en geest open te stellen, om geduld te oefenen. Uit geduld volgt wijsheid, als je jezelf duidelijk gaat waarnemen.

Er is nog iets dat je moet krijgen: mededogen. Want door wijsheid kun je voor jezelf zorgen, maar door mededogen kun je jezelf terzijde stellen. Dan is het geloof onvoorwaardelijk en de liefde eveneens. Als je iemand anders opvangt, wordt er al voor je eigen zelf gezorgd.

Oefeningen – meditatie – betekent beëindiging van het karma en jezelf in evenwicht brengen. Het is heel belangrijk dat je gaat ontdekken wat deze persoon is, wie je bent. De juiste meditatie betekent vrij zijn van leven en dood. Als je je ware zelf kunt vinden, dan is het geen enkel probleem of je sterft over een uur, over een dag of over een maand. Maar als je niet verder komt dan mediteren waarbij je alleen maar je lichaam in de juiste houding tracht te krijgen, heb je ook alleen maar aandacht voor dat lichaam. En als het dan op zekere dag jouw tijd is om te sterven, zal deze meditatie je niet helpen en je zult er ook niet meer in geloven. Dat betekent dat het geen juiste manier van mediteren is. Als je het wel op de juiste manier doet, hoort het erbij dat je wel eens ziek bent, dat je wel eens zult lijden en dat je op een dag zult sterven. De Boeddha zei: ''Als je te allen tijde zorgt dat je geest helder is, zul je overal geluk vinden''. In hoeverre geloof je in jezelf? In hoeverre help je andere mensen? Dat zijn de belangrijkste vragen. Door de juiste meditatie kun je de ware weg vinden.

Hoe bereik je het niets-zijn? Je moet beginnen te vragen: ''Wat ben ik? Wat is het doel van mijn leven''? Als je met woorden antwoordt, zijn het slechts gedachten. Met zen verkrijgen we het niets-zijn en maken daar ook gebruik van. Hoe kun je dat gebruiken? Maak van dat niets-zijn een geest vol liefde. Niets betekent geen ''ik-mijn-mij'', geen belemmeringen, en zo'n geest kan veranderen in een geest die voor-alle-mensen-werkt. Dat is mogelijk. Niets-zijn verschijnt niet en verdwijnt niet. Maar door de juiste meditatie wordt een geest van niets-zijn krachtig en kun je ook je eigen toestand duidelijk waarnemen: wat je ziet, hoort, ruikt, proeft en voelt, is de waarheid, zonder gedachten. Je geest werkt dan als een spiegel. Je kunt dan van moment tot moment die juiste toestand zo houden'.

Dr. Choi heeft centra op Hawaii en in Parijs, waar haar leerlingen haar Poep Sa Nim (geëerde meesteres) noemen. Zij vindt dat het boeddhisme in de samenleving in het algemeen moet worden geïntroduceerd en daarom noemt zij haar leer dan ook het 'maatschappelijk boeddhisme'. Haar lessen reiken verder dan degenen die vragen komen stellen, ze gaan naar die mensen wier vragen nog steeds verborgen zijn, die nog opgewekt moeten worden. Het maatschappelijk boeddhisme richt zich tot mensen in de omstandigheden waarin zij op dat moment verkeren. Het helpt hun de juiste toestand te bereiken en te functioneren binnen de feitelijke context van hun leven, en het dwingt hun niet tot een afgescheiden, spiritueel leven.

'Los, maar vast' is een van haar stelregels. Dat betekent 'leef gewoon je maatschappelijke leven, in je werk en het familieleven, maar wees constant heel helder en zorg dat je altijd op een juiste manier functioneert als mens, ook in je relaties'. Het doel van haar onderricht is dat je dit ook bereikt; hoewel iedereen uiteraard de eigen verantwoordelijkheid draagt voor zijn of haar eigen opvatting. In tegenstelling tot de tradities in het klooster waar vaste regels gelden en men vervolgens probeert te zorgen voor de persoonlijke behoefte ('los, maar vast'), is de leer van dr. Choi geconcentreerd op persoonlijke situaties en behoeftes, waarbij de meester toeziet hoe elke leerling zijn of haar juiste relaties, manier van functioneren en energie vindt. Dit is – veel meer dan de vooraf vastgestelde voorwaarden – de werkelijke 'regel', en de essentie daarvan is 'innerlijk' sterk te zijn.

'Neem mij bijvoorbeeld', zegt dr. Choi, 'ik zie eruit als een doodgewone vrouw, maar wat ik kan geven, van binnenuit, is anders. In feite is de geest van een vrouw ingewikkelder dan die van een man, de menstruatie is als een vulkanische uitbarsting in het lichaam en de vrouw is eerder van haar stuk gebracht. Een vrouw is handiger dan een man, maar ze heeft een heleboel belemmeringen. Ze heeft meer energie dan een man, maar doordat ze zoveel nadenkt, verspilt ze een heleboel energie en dan wordt ze negatief. Een vrouw moet meer oefenen dan een man.

Het belangrijkste dat ik zeg tegen de mensen die mijn lessen komen volgen, is: zorg dat je niet afhankelijk wordt van mijn woorden, van mijn gedachten. Er zijn twee soorten dieven. Je hebt de geest-dief en de voorwerpen-dief. Wees op je hoede voor de geest-dief – spirituele leiders, leraren en dat soort mensen. Wees niet bang voor de materiële dieven die alleen maar materiële dingen meenemen. Maar die geest-dieven, die kunnen je hele leven stelen. Er wordt mij verteld dat ik een toonaangevende boeddhistische leraar ben en dan zeg ik: "hecht niet teveel aan dat idee en neem ook mijn woorden niet klakkeloos aan. Studeer maar verder en je begrijpt vanzelf waar ik over praat".

Als ik naar de maan wijs, richt men de blik op mijn vinger in plaats van naar de maan te kijken. Stoor je niet aan mijn vinger. Ik ben niets behalve de punt van mijn vinger en je moet zelf naar de maan kijken. Als je je hecht aan mijn hand, raak je in de problemen. Maar als je oefent, zul je steeds de juiste toestand en het juiste functioneren bereiken. Je moet slechts het rechte pad bewandelen – het niets-zijn verkrijgen, dat niets-zijn gebruiken en alle wezens behoeden voor lijden'.

ELISABETH KUEBLER-ROSS

Zij die de kracht en de liefde hebben, bij een stervende patiënt te zitten in de stilte die meer inhoudt dan woorden, weten ook dat deze momenten noch beangstigend noch pijnlijk zijn, maar een vredig ophouden van de lichaamsfuncties. Het meemaken van een vredige dood van een mens doet me denken aan een vallende ster – een van de miljoenen lichtjes aan een oneindige hemel die heel even opflikkeren om vervolgens slechts te verdwijnen in de eindeloze nacht. Als we bij een stervende patiënt verblijven, worden we ons bewust van het unieke van elk mens in deze onmetelijke zee van mensen, we worden ons bewust van het feit dat ons aardse bestaan eindig is, van onze beperkte levensduur. De meesten van ons worden niet ouder dan zeventig jaar, en toch scheppen we in die korte tijd bijna allemaal een unieke biografie, en verweven we onszelf in de structuur van de geschiedenis.

On Death and Dying

Toen Elisabeth Kübler-Ross deze woorden schreef, was zij een bekende psychiater in het Billings Hospital in Chicago. In dit ziekenhuis kwam haar alom bekende werk met stervenden tot bloei, hoewel dat in Denver al was begonnen. Ook haar opvatting over een bewustzijn na de dood werd duidelijk, evenals haar mening dat we dan een spirituele wereld binnentreden.

Elisabeth is zeer intuïtief en is altijd bereid te luisteren naar wat haar eigen psyche haar vertelt. Toen zij in 1964 onverwacht het verzoek kreeg een lezing te houden voor een groep oudejaars studenten in de medicijnen aan de universiteit van Denver, zocht zij naar een onderwerp dat interessant zou zijn voor deze groep. Ze was in haar tuin bezig gevallen bladeren op een hoop te vegen en bedacht ondertussen dat de vorst toch al heel gauw de laatste bloemen zou doen sterven. Op dat moment nam zij het besluit over de dood te spreken.

Deze lezing, die de aanleiding zou worden voor het

levenswerk van Elisabeth, ging niet alleen over de rituelen die met de dood gepaard gaan, maar zij besteedde speciale aandacht aan iemand die werkelijk binnen afzienbare tijd zou sterven en wie de studenten vragen konden stellen. Elisabeth sprak eerst over haar eigen bevindingen:

Hoe de angst voor de dood zo tragisch de zorg voor de stervende vermindert, hoe zelfs mensen die op het medische vlak werkzaam zijn, zich afkeren van de dood en die zelfs verloochenen, en hoe artsen en verpleegkundigen door die angst en ontkenning, rampzalig in gebreke blijven wat betreft de bijzondere zorg waar hun patiënten recht op hebben en die zij ook nodig hebben.

(ibid.)

Toen bracht ze Linda binnen, een knap meisje dat leukemie had en zou sterven. Het was opmerkelijk dat de studenten het er moeilijk mee hadden en zich aanzienlijk minder op hun gemak voelden dan Linda zelf. Maar nadat iemand Linda in haar rolstoel had weggereden, stond de ene student na de andere op om, ontroerd door emoties waar ze niet op waren voorbereid, te spreken.

Twee jaar later, in Chicago waar Elisabeth toen werkte, kreeg die lezing een vervolg. Er was een student aan de Theologische Hogeschool, die van zijn broer een kopie van deze lezing toegestuurd had gekregen. Hij en drie anderen wisten Elisabeth te vinden en lieten haar weten dat zij graag behulpzaam wilden zijn ernstige zieke mensen en stervenden bij te staan – onderwerpen die nauwelijks werden aangeroerd in hun opleiding tot predikant. Zij vroegen haar een patiënt te zoeken met wie zij konden praten en Elisabeth beloofde onmiddellijk dat te doen. Toen ondervond zij voor de eerste maal de hevige tegenwerking en verontwaardiging van de kant van de medici. Dat zou altijd een hinderpaal blijven in haar werk. Door allemaal, op één na, werd haar verboden de patiënten te 'exploiteren'. Maar ondertussen stroomden de verzoeken om advies binnen, en die kwamen van verpleegkundigen, geestelijken, therapeuten en maatschappelijk werkers. Met de hulp van die ene arts nam Elisabeth de leiding op zich van een wekelijkse bijeenkomst voor vraaggesprekken. Die vonden plaats in een ruimte waar de patiënt het publiek niet kon zien.

Drie jaar lang ging zij door met die studiegroepen, niet alleen over de dood en het sterven, maar ook over de behoefte de zieken troost te geven en hen als mensen te behandelen, en bovenal tijd met hen door te brengen en met hen te praten. Toen, in 1969, deden zich twee gebeurtenissen voor die veel met elkaar te maken hadden, en die haar zeer in de publiciteit brachten.

Ten eerste kreeg zij het verzoek van een uitgever of zij een boek wilde schrijven over wat zij had geleerd van stervenden (dit werd haar beroemde boek *On Death and Dying*); en bovendien verscheen er een verslag van een van haar werkcolleges in het tijdschrift *Life*, waarin het gebruikelijke gesprek met iemand die ging sterven, was opgenomen. In dit geval was de patiënt een mooi meisje dat alle golfbewegingen van haar emoties beschreef – van, afwisselend, de hoop dat er een geneesmiddel zou worden gevonden en dan weer het inzien van de realiteit dat zij nog maar kort te leven had. In november 1969 deden het verhaal en de foto's in *Life* dermate van zich spreken dat Elisabeth's naam wereldwijde bekendheid kreeg.

Maar al die publiciteit veroorzaakte wel de definitieve kortsluiting in haar al lang bestaande meningsverschil met de medische staf. Het werd de studenten verboden haar cursussen te volgen en alle medici bejegenden haar zeer vijandig. Zij besefte wel dat haar werk op de universiteit nu een aflopende zaak was, en eigenlijk wist zij niet in welke richting zij verder moest gaan. Maar al snel was er geen twijfel meer mogelijk. Zij ontving een enorme hoeveelheid brieven met verzoeken colleges te geven en werkgroepen te leiden. Die brieven kwamen van medische faculteiten, tot haar vakgebied behorende genootschappen en van kerken. Zij kreeg uitnodigingen uit Europa, Zuid-Amerika, Australië en Japan. Zo begon de periode waarin zij grote bekendheid kreeg. Het was ook in die tijd dat zij zich een passage herinnerde die zij als jong meisje in haar dagboek schreef:

Hoe weten de ganzen wanneer ze naar een warmer klimaat moeten vliegen? Wie vertelt ze iets over de seizoenen? Hoe weten wij mensen wanneer het tijd is hier te vertrekken? Hoe weten we wanneer we moeten gaan? Net als de trekvogels hebben wij een innerlijke stem, als we daar slechts naar zouden luisteren, die ons met grote zekerheid kan zeggen wanneer we naar het onbekende zullen vertrekken.

Quest

Sinds haar eerste ademtocht wist Elisabeth al hoe dichtbij de dood was. Oorspronkelijk was haar geboorte onverwacht omdat de Zwitserse familie Kübler in 1926 werd verblijd met een drieling.

Het eerste gevoel van mijn ouders was dat van grote verslagenheid. Ik woog ternauwernood twee pond, ik was kaal en zo vreselijk klein dat ik duidelijk een teleurstelling was. En niemand verwachtte dan ook dat dit slechts het begin was van nog meer onaangename verrassingen; een kwartier later werd er nog een zusje geboren van ongeveer twee pond, en zij werd gevolgd door een meisje van vijf pond dat uiteindelijk aan alle verwachtingen van de ouders voldeed.

Het is moeilijk te zeggen of mijn twijfelachtige levensvatbaarheid de eerste 'prikkel' was waardoor ik ging werken op het terrein van dood en sterven. Men verwachtte per slot van rekening niet dat ik in leven zou blijven en als mijn moeder niet zo vastberaden was geweest, zou ik het niet hebben gehaald. Zij was er absoluut van overtuigd dat zulke kleine zuigelingen alleen konden overleven als ze heel veel tederheid en een liefdevolle verzorging kregen, met veelvuldige borstvoedingen en de warmte en vertroosting die ze alleen maar thuis kunnen krijgen – en niet in het ziekenhuis. Zij verzorgde ons drieën zelf, voedde ons om de drie uur, dag en nacht. Men zegt dat zij de eerste negen maanden nooit in haar eigen bed heeft geslapen. Onnodig te zeggen dat wij alle drie in leven bleven.

En zo was de eerste belangrijke les die ik leerde in mijn leven misschien wel dat er maar *één mens nodig is die werkelijk van je houdt* om een verschil uit te maken tussen leven en dood.

(ibid.)

De ouders van Elisabeth waren niet arm en zij kende vele gelukkige momenten in haar jeugd, speciaal als ze met haar vader in de bergen ging wandelen in Zwitserland. Toch voelde zij zich altijd het buitenbeentje van de drie meisjes en ook had ze problemen met het vaststellen van haar eigen identiteit. Haar vader, die zeker veel van haar hield, was nogal autoritair en toen zij als jong meisje van school kwam, kreeg zij ernstige onenigheid met hem over haar wens arts te worden. Hij wilde dat ze bij hem op kantoor kwam werken als boekhoudster en hij weigerde dan ook haar ambities te ondersteunen. Het lukte haar zonder zijn hulp te studeren door als laboratorium-assistente in haar onderhoud te voorzien.

Voordat zij daarmee begon, werkte ze evenwel als vrijwilligster voor de oorlogsvluchtelingen die Zwitserland binnenstroomden vanuit nazi-Duitsland. Aan alle kanten om Zwitserland heen woedde de oorlog en toen deze voorbij was, trok Elisabeth liftend dwars door het door de oorlog verwoeste Europa met een rugzak die een paar onontbeerlijke dingen bevatte, plus een heleboel idealisme en hoop.

Ik vertrok voor een lange reis die mij door negen landen voerde. Ik werkte als keukenmeid, metselaar, dakwerker, opende posten voor tyfusbestrijding en eerste hulp, trok de Pools-Russische grens over met een karavaan zigeuners en ten slotte, en dat was wellicht het allerbelangrijkste, bezocht ik Majdanek, een van de meest ellendige concentratiekampen waar duizenden volwassenen en kinderen stierven in de gaskamers of van honger, ziekten en martelingen. Ik zie nog die barakken met kleine inscripties van de slachtoffers, ruik nog de stank van de crematoria en zie nog de ijzerdraadversperringen waar wel eens iemand doorheen kroop om vervolgens te worden neergeschoten door de bewakers.

(ibid.)

Zij keerde uiteindelijk terug en doorleefde een aantal rustige jaren aan de medische faculteit en hier ontmoette zij Manny Ross, een Amerikaanse student in de medicijnen, die haar latere echtgenoot zou worden. Zij studeerden tegelijkertijd af en na hun huwelijk gingen zij (wat Elisabeth betrof, met angstige voorgevoelens) naar Amerika waar zij gingen werken. Uit het huwelijk werden twee kinderen geboren, Kenneth en Barbara.

Toen ze in Amerika woonden, merkte Elisabeth dat ze een paar keer een merkwaardige intuïtieve ervaring had. Later kon zij die, in het licht van haar overtuiging omtrent de dood, beter begrijpen.

Een van die momenten deed zich voor toen zij met haar twee kleine kinderen in een vliegtuig zat, onderweg naar New York. Plotseling voelde zij dat er gevaar dreigde; ze duwde het blad met eten van Kenneths tafeltje, maakte zijn veiligheidsriem vast en greep baby Barbara uit de wieg, die aan haar voeten stond. Enkele seconden later kwam het vliegtuig in een luchtzak terecht en viel als een steen naar beneden. Bladen met eten, tassen, alles vloog in het rond en zowel stewards als passagiers raakten gewond. Er viel gloeiend heet voedsel in de wieg. Elisabeth pijnigde haar hersens af om een verklaring te vinden voor de waarschuwing die hen had behoed voor blessures. Zij had het gevoel dat de mens van tijd tot tijd misschien wel intuïtief geleid wordt.

Er moet wel een of andere zorgzame kracht zijn, een of andere verbinding die de wetenschap niet kan verklaren. Hoe kun je anders een duidelijke waarschuwing voor een dreigend gevaar verklaren, terwijl de radar van het vliegtuig niets liet zien?

(ibid.)

Een soortgelijke ingeving waarschuwde haar dat haar geliefde moeder aan verval van krachten leed. Elisabeth had geen enkel bewijs voor de toestand van haar moeder, maar toch geloofde zij dat haar moeder niet in orde was en zij vloog direct naar Zwitserland. Kort daarna kreeg haar moeder een ernstige beroerte waarvan zij nooit meer herstelde.

188

Er zijn veel mensen die dergelijke intuïtieve gevoelens hebben. Maar Elisabeth had een geheel andere ervaring toen Manny en zij voor het eerst Denver en het typische landschap van het zuid-westen van Amerika bezochten. Het was een landschap dat zij herkende omdat ze er tweemaal van gedroomd had:

Hier vond je het platteland met rode aarde dat naar een verre horizon leidde die nauwelijks zichtbaar was vanwege de door de hitte veroorzaakte nevel. Zij herkende het Indiaanse dorp halverwege het gebied en de duidelijk zichtbare vorm van de rotsen. Feitelijk waren haar dromen foto's van dit vergezicht – een exacte kopie. Alles aan deze uitgestrektheid van droog, dor land – het felle licht van de zon in de metaalblauwe lucht, de aanblik en de geur van woestijnbloemen, de schaduwen die de zandkegels neerwierpen – kende zij al.

Zij werd totaal overspoeld door een gevoel van vrede zoals zij nog niet eerder had ervaren, een gevoel van harmonie dat tijd en ruimte, mens en natuur omsloot. Toen werd het verbroken door de kreten van Manny en haar moeder. Zij draaide zich om en, zoals zij zich de ervaring herinnert, moest zij zichzelf dwingen in de werkelijkheid van haar gezin terug te keren.

(ibid.)

Na het vraaggesprek in *Life*, waardoor er een eind kwam aan haar werk in het ziekenhuis, werden haar cursussen eigenlijk meer speurwerk verrichtende werkgroepen waar zowel stervenden als hun verwanten kwamen om hun verdriet te verlichten en meer over de dood te vernemen. Deze fragmenten uit een algemene lezing van Elisabeth verklaren ook dat de manier waarop de werkgroepen bezig waren, en nog steeds bezig zijn, gekenmerkt wordt door het delen van ervaringen en droefheid.

'Het is wel duidelijk dat we niet in staat zijn de pijn van iemand anders te voelen. De pijn van een ander stuit op de poel van onze *eigen* onderdrukte tranen en verdriet. Maar bij het van zeer nabij meemaken van de zielestrijd van een

189

stervende patiënt komt het vaak voor dat verschillende deelnemers aan de werkgroep tot tranen toe geroerd zijn. Als zij dat met de groep delen, is dat voor andere mensen aanleiding te vertellen over *hun* geschiedenis en *hun* ervaringen.

Dus... samen delen is het begin. En door te delen, maakt iedere deelnemer een verbinding met zijn of haar eigen pijn, onderdrukt verdriet en negativiteit. En als die verbinding is gemaakt, krijgt hij of zij een veilige plaats en een veilige manier om die negativiteit naar buiten te brengen en als je dat wilt, er voor altijd vanaf te zijn... En zo kan het gebeuren dat iemand bij onze werkgroepen komt en hoort schreeuwen en jammeren, of geconfronteerd wordt met de aanblik van mannen en vrouwen, en zelfs ook wel jonge mensen, die hun onderdrukte woede of hun gevoel van onrechtvaardigheid uiten door op een matras te slaan, waarbij zij vaak gebruik maken van een stukje rubber slang dat zij van ons krijgen'.

Gedurende de vele uren die Elizabeth bij stervenden doorbracht, was zij zich vaak bewust van nog een andere dimensie van zijn. Zij kwam tot de ontdekking dat er veel gemeenschappelijks was in de beschrijvingen die mensen haar gaven van hun laatste momenten. Tien jaar lang hebben zij en haar collega's die beschrijvingen op schrift gesteld, en dat heeft ertoe geleid dat zij overtuigd is van een leven na de dood, zoals zij in haar lezing vertelde.

'Wij zijn allemaal begiftigd met goddelijkheid en dat betekent heel letterlijk dat wij een deel van de bron in ons hebben en dat verschaft ons de wetenschap van onze onsterfelijkheid. Er zijn veel mensen die zich ervan gewaar beginnen te worden dat het fysieke lichaam slechts het huis, de tempel of de *cocon* is waar we een tijdje in wonen, tot we overgaan naar iets wat we de dood noemen. En dan, op het moment van de dood, werpen we die cocon af en we zijn weer zo vrij als een vlinder'.

Elisabeth ging verder met te vertellen dat ze, toen ze haar werk met stervenden begon, eigenlijk niet echt geïnteresseerd was in een leven na de dood en ook niet zo erg in de dood zelf.

'Maar, hoewel ik een beetje sceptisch was en niet zo erg gelovig, raakte ik aan het bed van mijn stervende patiënten toch wel onder de indruk van het feit dat bepaalde opmerkingen zo dikwijls werden gemaakt dat ik mij begon af te vragen waarom niemand ooit een studie had gemaakt van de hele problematiek van het sterven... Er waren bijvoorbeeld vrij veel mensen die "hallucinaties" hadden van de aanwezigheid van geliefde personen, met wie ze dan ook duidelijk een of andere vorm van communicatie hadden, maar die ik noch kon zien, noch kon horen. En zelfs de meest verbolgen en agressieve patiënten werden kort voordat zij stierven, volkomen rustig. Het leek wel alsof zij werden omgeven met een soort sereniteit.

Ik was altijd heel intiem met mijn patiënten en ik was op een ongeremde en liefhebbende manier zeer betrokken bij wat zij ervoeren. Zij raakten mijn leven en ik het hunne op een zeer intieme, betekenisvolle manier. Maar de allerlaatste minuten voordat zij stierven, had ik geen enkel gevoel voor hen en ik heb me dan ook vaak afgevraagd of er met mij soms iets niet in orde was. Als ik naar hen keek, dan leek het mij net zo iets als het uittrekken van een winterjas bij het begin van de lente, in de wetenschap dat we die jas niet meer nodig hebben. Ik had ook een duidelijke voorstelling van een omhulsel waar mijn geliefde patiënt niet meer in vertoefde. Maar als wetenschappelijk geschoolde vrouw had ik er geen verklaring voor'.

Elisabeth en haar collega's vonden evenwel dat zij geen 'sceptische weinig-gelovers' meer konden zijn nadat een ex-patiënte, mrs. Shwartz, verslag had gedaan van haar bijna-dood ervaring toen zij met een of andere acute aanval was opgenomen in het ziekenhuis in haar woonplaats in Indiana: 'Toen ze in bed lag, zag ze een verpleegkundige binnenkomen die even naar haar keek en vervolgens hard wegliep. En op datzelfde moment zag zij zichzelf langzaam en heel rustig uit haar fysieke lichaam komen om enkele tientallen centimeters boven haar bed te blijven zweven. Ze vond het zelfs een beetje komisch dat ze naar haar lichaam kon kijken. Dat zag er bleek en ziek uit. Ze had wel een gevoel van ontzag en verbazing, maar geen angst of ongerustheid. Vervolgens zag zij het team binnenkomen dat trachtte haar weer bij te brengen, en zij kon nauwkeurig omschrijven wie het eerste binnenkwam en wie het laatste. Zij was zich volledig gewaar, niet alleen van elk woord dat ze zeiden, maar ook van hun gedachtenpatronen, en eigenlijk wilde ze graag tegen hen zeggen niet zo gespannen te zijn omdat het goed met haar ging. Maar hoe wanhopiger zij trachtte dat over te brengen, hoe meer zij als razenden tekeergingen met haar lichaam, totdat het bij haar begon te dagen dat zij hen wel kon waarnemen, maar andersom niet. Toen besloot mrs. Shwartz haar pogingen te staken en zij verloor het bewustzijn. Nadat men drie kwartier zonder succes had gepoogd de levensgeesten weer op te wekken, werd zij doodverklaard. Maar even later waren er toch weer tekenen van leven en dat wekte grote verbazing in het ziekenhuis. Ze leefde nog anderhalf jaar.

Onnodig te zeggen dat het een splinternieuwe ervaring voor mij was toen mrs. Shwartz dit mijn cursisten vertelde. Ik had nooit gehoord van bijna-dood ervaringen. Mijn cursisten waren ontzet dat ik dit niet een hallucinatie of zinsbegoocheling noemde. Zij hadden geweldige behoefte er een etiket op te plakken. We waren er wel van overtuigd dat de ervaring van mrs. Shwartz geen eenmalig, zeldzaam of uniek voorval kon zijn en we dachten dat we misschien wel meer gevallen zoals het hare konden vinden. Daarvan wilden we gegevens verzamelen om te zien of het een algemene, zeldzame of unieke ervaring was. Sindsdien is het over de hele wereld bekend. Veel onderzoekers, artsen, psychologen en mensen die een studie maken van paranormale verschijnselen, hebben getracht dergelijke gevallen te registreren en gedurende de laatste tien jaar heeft men ten minste 25.000 gevallen verzameld'.

Elisabeth had zelf zo'n soort ervaring toen zij, volkomen uitgeput aan het eind van een cursus, om vijf uur 's morgens eindelijk naar bed ging, en wist dat ze maar twee uur kon slapen – toen er een verpleegster binnenkwam die met haar naar de zonsopgang wilde kijken. De verpleegster ging weer weg, en:

Toen zonk ik weg in een diepe, trance-achtige slaap en in die periode had ik mijn eerste ervaring van uittreding... Ik zag mezelf uit mijn fysieke lichaam opstijgen. Later beschreef ik het als volgt, het was net of een heleboel liefhebbende wezens alle vermoeide delen uit mij wegnamen, net zoals monteurs in een werkplaats ook met auto's doen. Het was alsof ze elk vermoeid en uitgeput onderdeel van mijn fysieke lichaam vervingen door een nieuw, fris, bezield deel. Ik had een gevoel van geweldige rust en sereniteit, een gevoel dat er letterlijk voor me werd gezorgd, dat ik nergens aan hoefde te denken. Ik had ook dat ongelooflijke gevoel dat ik me, na het vervangen van die onderdelen, net zo jong en fris en energiek zou voelen als vóór die nogal uitputtende, alle energie vergende cursus.

(ibid.)

Elisabeth besloot samen te vatten wat alle mensen schijnen te ervaren op het moment dat de fysieke functies ophouden. Het is wel van belang dat we ons realiseren, zegt zij, dat van de vele mensen die na een hartstilstand worden gereanimeerd, maar een van de tien zich iets van het gebeurde kan herinneren. De gevallen die zij en haar collega's verzamelden, omvatten kinderen en mensen van alle religies en ook zonder religie, en van vele volkeren. Zij wilden er zeker van zijn, vertelde zij in haar lezing, dat het materiaal dat zij verzamelden, een ongeëvenaarde menselijke ervaring beschreef die niets te maken had met religieuze of culturele conditionering.

'Op het moment van sterven ervaart iedereen de scheiding van het werkelijke, onsterfelijke zelf en zijn tijdelijke behuizing, het fysieke lichaam. Als wij het fysieke lichaam verlaten, is er een totale afwezigheid van paniek, angst of ongerustheid. We zullen altijd een fysieke volmaaktheid ervaren. We zijn ons volkomen gewaar van de omgeving waarin ons sterven plaatsvindt en we zijn ons ook gewaar van de mensen die aan het werk zijn om ons te reanimeren of die trachten ons te redden. Dat zullen we van tamelijk dichtbij in een nogal afstandelijke geestestoestand aanschouwen – hoewel we op dit tijdstip geen verbinding meer hebben met het brein of functionerende verstand. Dit speelt zich allemaal af als er geen hersenfuncties meer waargenomen worden. We zijn ons op dat moment tot in de kleinste bijzonderheden gewaar van alles wat zich om ons heen afspeelt, maar zonder enige negativiteit.

Ons tweede lichaam, zoals we dat op dit moment ervaren, is niet het fysieke lichaam, maar een etherisch lichaam. In het

193

tweede, tijdelijke, etherische lichaam ervaren we een totale volmaaktheid. Dat wil zeggen dat we dan kunnen horen ook als we doof waren, of dat we kunnen zingen en dansen als we het slachtoffer waren van multiple sclerose. Het is wel begrijpelijk dat een heleboel patiënten niet altijd even dankbaar zijn als de reanimatie succesvol is en hun vlinder weer in de cocon geperst wordt. We hebben veel collega's die zich afvroegen of dit niet alleen maar een projectie is van geloven wat je graag wilt. Maar de helft van onze gevallen waren ongelukken waarbij mensen niet in staat waren te voorzien waardoor zij getroffen zouden worden. En een andere eenvoudige manier om dat 'geloven wat men graag wil' uit te schakelen, is met blinden te werken en hun te vragen wat zij zagen toen zij zich buiten hun lichaam bevonden. Zij blijken in staat bijzonderheden te vertellen over alle mensen die met hen bezig waren, zelfs over gezichten en kleuren. Dat zouden ze nooit hebben gekund toen ze nog leefden.

Als mensen sterven, worden zij zich er ook van gewaar dat het onmogelijk is alleen te sterven. Daar zijn redenen voor, zelfs als iemand sterft terwijl hij of zij geen andere personen in de directe nabijheid heeft. Het is ons opgevallen dat veel kinderen die aan kanker sterven, in staat zijn enige tijd voor hun dood het lichaam te verlaten. We hebben allemaal wel eens buiten-lichamelijke ervaringen gedurende bepaalde stadia in de slaap, maar slechts heel weinig mensen zijn zich daarvan bewust. Speciaal stervende kinderen, die sterk zijn afgestemd op het leven, worden zich gewaar van deze korte trips buiten het fysieke lichaam, en die zijn hen behulpzaam bij het zich vertrouwd maken met de plaats waar zij heen zullen gaan. En gedurende die buiten-lichamelijke trips, die zowel oude als jonge stervende patiënten ervaren, worden zij zich bewust van de aanwezigheid van wezens die zich in hun directe nabijheid bevinden en die hen leiden en bijstaan.

Het is van belang te weten dat ieder mens zich vanaf het moment van de geboorte, die begint met de eerste ademtocht, tot het moment dat we dit fysieke bestaan eindigen, in de tegenwoordigheid bevindt van deze begeleiders, of beschermgeesten, en dat die op ons wachten en ons bijstaan in de overgang van dit leven naar dat leven na de dood. We worden bovendien altijd opgevangen door degenen die ons zijn voorgegaan in de dood en van wie wij hielden.

Er is nog een reden waarom we nooit alleen zijn als we sterven. Als we ons fysieke lichaam afwerpen – ook als dat tijdelijk is, voorafgaand aan de dood – bevinden we ons in een vorm van zijn waar tijd en ruimte niet bestaan en in die bestaansvorm kunnen we met de snelheid van onze gedachten overal zijn waar we maar willen.

We zijn allemaal begiftigd met dat vermogen ons fysieke lichaam af te werpen, niet alleen ten tijde van de dood, maar ook als zich een crisis voordoet of als we uitgeput zijn, en bovendien in een bepaalde vorm van slaap. Het is van belang dat we ons realiseren dat dit zich vóór de dood afspeelt... Zelf heb ik niet alleen spontane buiten-lichamelijke ervaringen gehad, maar ook die werden geïnduceerd in een laboratorium, begeleid en gadegeslagen door wetenschappers van de Meninger Foundation in Topeka. We kunnen tegenwoordig steeds beter de juistheid van een en ander toetsen en dat leidt tot het onderzoeken van een dimensie waarvan we ons maar nauwelijks een voorstelling kunnen maken.

Maar hoe kunnen we het bestaan van beschermgeesten of de tegenwoordigheid van liefhebbende verwanten nagaan op het moment van de overgang? Ik vind het, als arts, heel belangwekkend dat duizenden mensen over de hele wereld dezelfde aan de dood voorafgaande ervaringen hebben. Wij hebben dan ook getracht manieren te vinden om te onderzoeken wat deze ervaring is – of het misschien toch iets is van 'geloven wat je graag wilt'. De beste manier, vonden wij, was bij stervende kinderen te blijven zitten na een ongeluk dat de hele familie had getroffen. Er werd hun niet verteld dat er familieleden waren ongekomen, maar in alle gevallen merkten wij dat ze zich gewaar waren van degenen die eerder dan zij waren overleden. Ik blijf dan bij hen zitten, houd hun hand vast en voordat zij sterven, verdwijnt hun rusteloosheid en krijgen ze een vredige uitdrukking op hun gezicht. Ik vraag dan wat er gebeurt. Je krijgt eigenlijk altijd een gelijkluidend antwoord, ''Nu is alles goed''. Een klein meisje zei: ''Mammie en Peter wachten al op me'', en ik hoorde later dat haar broertje maar tien minuten eerder was overleden.

We hebben nu toch wel een enorme hoeveelheid bewijsmateriaal dat de dood een overgang betekent naar een hogere staat van bewustzijn... Van al mijn patiënten die de ervaring van uittreding hebben meegemaakt, is er geen ooit nog bang om te sterven. Er zijn veel mensen die vertellen over de vrede die zij ervoeren – prachtige, niet te beschrijven vrede, geen pijn, geen angst. Zij spreken ook van het volmaakte begrijpen dat tot hen kwam tijdens de overgang. Zij vertellen ons dat het enige belangrijke is hoeveel je van anderen hebt gehouden, wat je voor anderen hebt gedaan; en als je al die dingen weet, zoals ik dat nu weet, dan kun je onmogelijk meer bang zijn voor de dood'.

Elisabeth benadrukt in haar lessen de noodzaak het leven te *leven* en het niet eenvoudigweg voorbij te laten gaan.

'Blij zijn over de kans elke nieuwe dag te beleven, betekent je voorbereiden op het uiteindelijk aanvaarden van de dood. Want de mensen die niet werkelijk hebben geleefd – die bepaalde problemen niet hebben opgelost, dromen onbeantwoord hebben gelaten, verwachtingen in duigen hebben geslagen, en die aan de werkelijke zaken in het leven voorbij zijn gegaan (liefhebben van en geliefd worden door anderen, op een positieve manier bijdragen aan het geluk en het welzijn van anderen, uitvinden wat je *werkelijke zelf* is), verzetten zich het meeste tegen de dood. Het is nooit te laat een begin te maken met leven en groeien... Groeien is de menselijke manier van leven, en de dood is het laatste stadium in de ontwikkeling van de mens. We moeten onze eigen onvermijdelijke dood onder ogen zien en aanvaarden, en niet alleen maar tegen de tijd dat we die dood kunnen verwachten. Daarom moeten we het leven elke dag erg waarderen, en we moeten de dood laten zorgen voor een samenhang in ons leven, want juist daarin ligt de betekenis van het leven, en de sleutel tot onze groei'.

LITERATUUR

INLEIDING
James, William, *Varieties of Religious Experience*, Penguin, Londen, 1988.

JOANNA MACY
Despair and Personal Power in the Nuclear Age, New Society Publishers, Philadelphia, 1983.
Dharma and Development, Kumarian Press, Connecticut, 1985.
Zie ook: Friedman, Lenore, *Meetings with Remarkable Women*, Shambhala, Boston, 1987.
A Gathering of Spirit: Women teaching in American Buddhism (red. Ellen Sidor), Primary Point Press, Rhode Island, 1987.

MEINRAD CRAIGHEAD
The Sign of the Tree, Mitchell Beazley, Londen, 1983.
The Mother's Songs, Paulist Press, New York, 1986.
Zie ook: *The Feminist Mystic* (ed. Mary Giles), Crossroad, New York, 1982.

MARION MILNER
On Not Being Able to Paint, Heinemann, Londen, 1950.
A Life of One's Own, Penguin, Harmondsworth, 1955.
An Experiment in Leisure, Virago Press, Londen, 1986.
Eternity's Sunrise, Virago Press, Londen, 1987.

TWYLAH NITSCH
Entering into the Silence, The Seneca Indian Historical Society, New York, 1976.
Language of the Trees, The Seneca Indian Historical Society, New York, 1982.
Language of the Stones, The Seneca Indian Historical Society, New York, 1983.

TONI PACKER
Seeing Without Knowing, Springwater Center, New York, 1985.

197

The Work of This Moment, Springwater Center, New York, 1987.

Zie ook: Friedman, Lenore, *Meetings with Remarkable Women*, Shambhala, Boston, 1987.

A Gathering of Spirit: Women teaching in American Buddhism (red. Ellen Sidor), Primary Point Press, Rhode Island, 1987.

ANANDAMAYI MA

Mother as Seen by her Devotees, Shree Shree Anandamayee Charitable Society, Calcutta, 1976.

Words of Sri Anandamayi Ma, Shree Shree Anandamayee Charitable Society, Calcutta, 1978.

As the Flower Shreds its Fragrance, Shree Shree Anandamayee Charitable Society, Calcutta, 1983.

Zie ook: Yogananda, Paramhansa, *Autobiography of a Yogi*, Rider, Londen, 1969.

Lannoy, Richard, *The Speaking Tree*, Oxford University Press, Oxford, 1971.

Lipski, Alexander, *Life and Teaching of Anandamayi Ma*, Motilal Banarsidass, Delhi, 1979.

KATHLEEN RAINE

Defending Ancient Springs, Oxford University Press, Oxford, 1967.

Faces of Day and Night, Entitharmon Press, Londen, 1972.

Farewell Happy Fields, Hamish Hamilton, Londen, 1974.

The Land Unknown, Hamish Hamilton, Londen 1975.

The Lion's Mouth, Hamish Hamilton, Londen, 1977.

Collected Poems 1935-1980, Unwin Hyman Ltd, Londen, 1981.

EVELYN UNDERHILL

Practical Mysticism, Dent, Londen, 1914.

The Essentials of Mysticism, Dent, Londen, 1920.

The Life of the Spirit and the Life of Today, Methuen, Londen, 1922.

The Golden Sequence, Methuen, Londen, 1932.

Letters of Evelyn Underhill, (red. Charles Williams), Longman Green & Co., Londen, 1943.

Mysticism, Methuen, Londen, 1960.

Zie ook: Armstrong, Christopher, *Evelyn Underhill*, Mowbrays, Londen, 1975.

SIMONE WEIL
Waiting on God, Routledge & Kegan Paul, Londen, 1951.
Gravity and Grace, Routledge & Kegan Paul, Londen, 1952.
First and Last Notebooks (vert. Richard Rees), Oxford University Press, Oxford, 1970.
Gateway to God (red. David Raper), Fontana, Londen, 1975.
Zie ook: Tomlin, E.W.F., *Simone Weil*, Bowes & Bowes, Cambridge, 1954.
Miles, Sian, *Simone Weil: an Anthology*, Virago Press, Londen, 1986.

AYYA KHEMA
Buddha Without Secrets, Thesus Verlag, Zwitserland, 1985.
Be an Island unto Yourself, Parappuduwa Nuns Island, Sri Lanka, 1986.
Zie ook: Friedman, Lenore, *Meetings with Remarkable Women*, Shambhala, Boston, 1987.

IRINA TWEEDIE
Chasm of Fire, Element Books, Shaftesbury, 1979.
Daughter of Fire, Element Books, Shaftesbury, 1985.

EILEEN CADDY
Foundations of Findhorn, Findhorn Publications, Forres, 1976.
Spirit of Findhorn, Findhorn Publications, Forres, 1977.
Dawn of Change, Findhorn Publications, Forres, 1979.
Flight into Freedom, Element Books, Shaftesbury, 1988.

ELISABETH KÜBLER-ROSS
On Death and Dying, Tavistock, Londen, 1970.
Death: the Final Stage of Growth, Prentice Hall, New York, 1975.
Working it Through, Macmillan, New York, 1982.
On Children and Death, Collier Books, Londen, 1983.
Zie ook: Gill, Derek, *Quest*, Random House, New York, 1980.

199

Een aantal van deze titels is ook in een Nederlandse vertaling
verschenen.